오래 살려면
게으름을 피!워라

오래 살려면 게으름을 피워라

게으름이야말로
점점 빨라지는 세상에서 살아남을 수 있는
최후의 비결이다!

잉에 호프만 지음 · 이영희 옮김

나무생각

차례

머리말

잠깐만 틈을 내어 당신의 삶을 돌이켜보십시오. 만족하십니까? 혹시 약간은 불편한 마음이 듭니까? 다음과 같은 상황들이 익숙하게 느껴집니까?

당신은 모니터 앞에서 서버와 연결되기를 기다리고 있다. 손가락으로는 책상을 신경질적으로 두드리며 "이렇게 느려터져서야!" 하고 혼잣말로 웅얼거린다. 하지만 몇 년 전까지만 해도 그런 컴퓨터도 서버도 초고속 펜티엄 프로세서도 없었다. 예전에는 며칠, 아니 몇 주일은 걸려야 했지만 이제는 몇 초도 안 되는 사이에 지구 반대편에 있는 정보까지 얻을 수 있다. 이렇게 초고속 시대에 사는데도 우리는 현대 기술이 너무 느리다고 느끼며 한순간에 모든 것이 맞아떨어지지 않으면 조급증을 낸다.

어떤 날에는 기억력에 마치 구멍이라도 숭숭 뚫린 것 같다. 열쇠를 어디에 두었는지 생각나지 않는다. 중요한 미팅 상대자의 이름조차 떠오르지 않는다. 슈퍼마켓에 왔는데 무엇을 사려 했는지 모르겠다. 알츠하이머병에 걸린 것은 아닌지 은근히 걱정스럽다. 하지만 그런 기억의 빈칸들은 원인이 전혀 다른 데 있을 가능성이 아주 높다. 현대의 기술은 우리의 뇌가 작업할 수 있는 것보다 훨씬 빠른 속도로 정보를 제공하기 때문이다. 당신의 사고기관은 3초마다 새로운 메시지를 수용할 수 있을 뿐이다. 따라서 많은 정보가 동시에 들어오는 과도한 업무가 주어지면 뇌는 건망증으로 자기방어를 하는 것이다.

삑삑삑… 웅웅웅… 계속 이메일의 도착을 알리는 신호음, 게다가 휴대전화까지 울려대지만 나는 최상의 컨디션이다. 하지만 부하직원들은 끔찍이도 느려터진 데다 무슨 일만 시키면 어쩌고저쩌고 핑계를 댄다. 그러면 나는 신이 나서 남의 업무까지 자발적으로 떠맡는다. 그러던 어느 날 갑자기 모든 것이 무너져내린다. 왜냐고? 우리를 최고속으로 달리게 하던 최상의 컨디션은 실제로는 신체가 발하는 경고표시인데, 우리가 그것을 잘못 해석해왔기 때문이다.

주말이면 긴장을 풀려고 갖은 애를 쓰는데도 머리가 아프고 귀가 윙윙 울리며 잠도 안 오고 배까지 아프다. 스트레스 호르몬의 방출량은 천천히 줄어들기 때문에 한창 바쁠 때는 좋던 컨디션이 주말에 쉴 때는 나빠지게 마련이다. 수많은 사람이 젊은 시절 돈을 벌기 위해 희생시킨 건강을 되찾기 위해 신비스러운 스승을 찾고 세미나를 듣는다. 하지만 결국 사람들이 할 수 있는 일은 자신의 생활방식을 뒤늦게라도 고치는 것뿐이다.

당신의 모습을 보는 것 같습니까? 그렇다면 이 책을 계속 읽으십시오. 빠른 속도로 돌아가는 일상 속에서 힘을 아끼고 건강을 지킬 수

'더 많은 일을 하기 위해 시간을 절약하라!'가 모든 사람의 목표인 듯해요. 하지만 그것은 생체시계를 거슬러 사는 거죠.

있는 방법, 그리고 몸이 발하는 경고신호를 제때 알아차리는 방법을 배우게 될 것입니다. 현대적인 기술이 당신의 바이오 프로그램을 과속으로 돌리도록 내버려두지 마십시오. 당신 스스로 당신의 삶을 당신의 방식에 따라 프로그래밍하십시오. 당신의 몸에 있는 무기를 사용하여 전형적인 스트레스 상황들을 완화시키고, 건강하고 활기차게 사십시오.

일상의 스트레스가 당신을 더 이상 괴롭힐 수 없도록 하는 비법은 '생물학적 게으름'에 있습니다. 게으름의 역동적인 힘을 익히고 더 편안한 인생을 시작하십시오. 그러면 남들이 부러워할 젊음의 샘까지 덤으로 얻게 될 것입니다. 당신의 에너지를 지켜서 오랫동안 젊고 건강하고 활력 있게 사십시오. 이 책이 소개하는 과학적 지식들에 귀를 기울이십시오. 자연히 느리게, 그리고 의식적으로 살게 될 것입니다.

생물학적 게으름이야말로 건강과 장수의 샘이랍니다.

제1장

생명 에너지에 관한 충격적인 진리

생명 에너지에 관한 충격적인 진리

애쓰고 노력하지 않아도 모든 일이 잘 풀려가는 사람, 늘 멋진 외모에 기분이 좋은 사람, 매사에 아무런 불만이 없는 마음가짐이 무엇보다도 매력적인 사람이 있다. 정말 부럽기 짝이 없는 그런 사람들은 또 대개 사생활도 행복하고 직장에서도 출세가도를 달린다. 그들이 하루종일 힘들여 일한다고 여긴다면 그건 아주 잘못된 생각이다. 적어도 많은 경우에는 그렇다.

그런 행운아들의 삶을 좀더 자세히 들여다보자. 그들은 언제 어디서나 자유로울 수 있는 여유를 가지고 있다. 아름다운 곳으로 소풍을 갈 만한 시간, 파트너와 느긋하게 애무할 수 있는 시간, 삶을 풍성하게 가꿔주는 취미생활, 아무것도 하지 않고 그저 멍하니 있을 수 있는 시간 등 그들의 성공비결은 휴식에 있다 하겠다.

매니지먼트 트레이너들은 현재의 의식적인 시간관리에 점차 비중을 두고 있다. 이제까지는 '더 짧은 시간 내에 더 많은 일을!', '어떤 목표도 달성할 수 있다!' 는 식의 슬로건이 설득력을 가졌지만 이제는 정반대다. 자신을 위해 보다 많은 시간을 갖는 것, 일하는 속도를 좀더 늦추는 것이 중요시되고 있다. 인적 자원이 시간과 돈보다 우선시되는 것이다.

게으름과 에너지 소비

개인적인 삶과 건강관리에 있어서도 생각을 바꿔야 한다. 동기 (motivation)를 중시하던 과거에는 강인한 의지력으로 마지막 젖 먹던 힘까지 짜내서 일하라고 강요했지만 이제는 신체 리듬에 맞춰 생물학적 게으름을 가꿔나가는 것이 바람직하다. 그렇다! 게으름이야말로 행복하고 건강한 인생을 위한 성공 제안이다. 게으름은 삶에 활력과 기쁨을 선사하며 나날이 빨라지는 세상에서 살아남을 수 있는 최후의 비결이다. 이는 과학적으로도 이미 입증된 사실이다.

생물학적 게으름은 아무것도 하지 않는 것과는 다르다. 생물학적 게으름은 이상적인 생체 환경에 맞춰 사는 것, 다시 말해 몸과 마음이 최적의 상태를 유지하기 위해 필요로 하는 것들을 주는 것이다. 어떤 대가를 치르더라도 실적을 올리겠다는 생각이 아니라 내 몸의 장기를 비롯한 신체 시스템을 최적의 상태로 가동시키는 것이다. 이를 위해서는 여러 가지 프로그램을 선택해야 한다. 예를 들어 간을 위한 게으름은 과도한 지방과 알코올 섭취를 제한하는 것이다. 혈관과 근육을 위한 게으름은 무엇보다도 운동을 뜻한다(꼼짝도 않고 있는 것이 오히려 스트레스다!). 면역체계를 위한 게으름은 유해성분을 피하고 신체를 단련시키는 것이고, 영혼을 위한 게으름은 좋은 책을 읽는 것이다.

'삶을 즐기기 위해 에너지를 절약하라!'
이걸 당신의 슬로건으로 삼아보세요.

게으름 피우기, 이것은 생명 에너지를 절약한다는 의미다. 과학적 공식은 아주 간단해 보이지만 현실은 그렇게 간단하지 않다. 그래서 이 책은 생물학적 게으름의 법칙에 따라 살 수 있도록 도와주는 수많은 바이오 힌트를 담고 있다. 이러한 힌트들을 모두 따를 필요는 없다. 그 중에서 각자에게 맞고 각자가 생각하는 삶에 맞는 것만 고르면 된다. 그러면 곧 알게 될 것이다, 이상적인 생체환경을 향해 몇 걸음만 떼어도 인생이 완진히 달라진다는 것을.

우리가 사는 지구에는 제대로 게을러서 건강하게 오래 사는 복을 받은 악어와 거북이란 생물체가 있다. 이에 관심을 가진 학자들은 여러 동물의 에너지 소비를 연구했고 생명 템포에 커다란 차이가 있음을 밝혀냈다. 언제나 팔랑팔랑 날아다니는 작은 새나 가쁜 숨을 몰아쉬는 생쥐는 에너지 소모가 극히 높은 반면, 느림보 거북이나 악어, 등푸른 큰고래, 코끼리는 매우 절약적으로 자원을 관리한다.

생명 템포는 유기체와 시간의 연관관계로 볼 때 매우 단순하게 느껴진다. 산다는 것은 한마디로 에너지를 소비하는 것이다. 에너지 소비 속도가 빠른 유기체는 그 마모도 빠르다. 앞으로 상세히 살펴보겠지만, 과학적으로 입증된 이 연관관계는 생명의 새로운 기본 원칙이다. 여러 가지 면에서 볼 때 새로운 생명의 기본 원칙은 인간에게도 해당한다고 할 수 있다.

한번 따져보자. 계속해서 바삐 서두르지 않고 속도를 늦춘다면 좀더 기분이 좋아지고 덜 피곤하지 않을까? 서두르는 사람보다 느긋하고 여유있게 사는 사람이 더 멋지게 보이지는 않을까?

산다는 것은 에너지를 태우는 것이다

모든 생명체는 살기 위해 에너지를 필요로 한다. 이러한 점에서 볼 때 자동차나 기계는 확실히 다르다. 예를 들어 에너지는 음식물의 분해, 새로운 세포의 구성, 호흡, 고통감각의 전달 등 체내의 운영체계들을 가동시키며 그 배후에는 신진대사가 숨어 있다.

신진대사는 한 인간을 '살아있게' 하는 모든 과정의 합이다. 신진대사는 우리의 몸을 가동시키는 엔진에 해당하는데, 이 엔진은 아껴서 사용할수록 자신의 업무를 오랫동안 훌륭히 해낸다. 기계의 엔진과 마찬가지로 사람의 엔진도 작업량이 마모도를 결정짓는다. 신진대사가 많이 이루어지거나 에너지 소비가 많을수록, 특히 엔진에 따라 달라지는 '사용설명서'에 어긋나게, 다시 말해 잘못된 방식으로 사용할수록 마모도는 높아지고 그 결과 우리는 피로를 느끼고 병이 나기 쉽다. 이는 자동차의 경우에도 비슷하다. 차체가 낮은 스포츠카로 비포장도로를 질주하는 사람은 거의 없다. 엔진 마력수가 낮은 자동차를 무리하게 계속 운전하면 머지 않아 폐차장으로 보내야 한다.

과학자들이 밝혀낸 또 한 가지 사실이 있다.

인간을 포함한 모든 생물체는 태어날 때부터 몸집과 비례한 같은 양의 에너지 저장분을 가지고 있다. 이 '생명의 연탄'이 빨리 탈수록, 다시 말해 내면의 신진대사 불꽃이 밝게 타오를수록 실제의 기대수명은 짧아진다. 간단히 말하자면, 늘 바삐 행동하고 활동하는 인간이나 동물은 안팎으로 느긋하고 균형 잡힌 삶을 사는 인간이나 동물보다 타고난 생명의 저장분을 빨리 소진한다. 이것이 동물마다 수명의 길이에 큰 차이를 보이는 원인이기도 하다. 쥐의 수명은 4년이고 거북의 수명은 250년에 이른다.

모든 유기체에는 건강과 장수의 잠재력이 깃들여 있다. 질병, 때이른 노화, 갑작스런 죽음의 원인은 성상적인 유전 프로그램이 아니라 대개는 생활방식, 문명의 영향, 그리고 예상치 못한 사고 때문이다. 사람은 누구나 자신의 생명 템포를 결정할 힘을 가지고 있다. 우리에게 평생 동안 써야 할, 그리고 두 번 다시 재충전시킬 수 없는 에너지 탱크가 있다고 생각해보라. 그런 생각 자체가 우선은 충격을 주겠지만 결국 삶을 즐기라는 자극으로 받아들여야 할 것이다.

생명시계의 무심한 박자

지금 이 책을 읽는 순간에도 생명 에너지는 새나가고 있다. 생명 에너지는 한 번 나가면 그뿐, 다시는 거둬들일 수 없다. 우리는 생명현상이 진행되는 과정을 중단시킬 수 없다. 한 인간이 태어나 세상에 나온 순간부터 생명시계는 무심히 움직이기 시작한다. 즉 생체과정

 지나치게 열심히 사는 사람은 생체시계의 어긋난 방식 때문에 수많은 문명 질병(그건 모두 템포 질병!)에 걸리기 쉽죠.

은 일단 불이 붙으면 변함 없는 박자로 계속 움직인다.

태중의 아기가 아홉 달이 지나면 모체를 떠나는 것도 그 때문이다. 오늘날 소녀들은 평균 12세가 되면 첫 월경이 시작되고 약 40년간 4주 간격으로 반복된다. 소년은 대개 15세가 되면 변성기를 맞는다. 이런 과정에 대해 인간은 거의 무력하다. 자연은 기껏해야 비상 브레이크(예 : 유전적 결함으로 인한 기형아 출산)를 걸 수 있을 뿐이며 중지 신호가 없어 생명과정이 종료될 때까지 반복된다. 생명은 한 번 시작되면 매시간 새나가게 된다.

하지만 생명시계의 박자에 대해서는 우리도 영향력을 행사할 수 있다. 우리는 생명 템포와 그에 결부된 구조체의 마모를 결정할 수 있다. 또 우리의 에너지가 그냥 새어나가도록 내버려둘 것인지 에너지를 소모하는 만큼의 삶을 얻을 것인지 결정할 수 있다. 그러므로 생명시계의 박자를 의식하며 사는 것이 중요하다. 그러면 삶은 기막히게 멋진 시간여행이 될 것이다. 오늘날 날로 고단해지는 일상의 박자에 맞서 당신의 생체 프로그램을 설정하라. 용기를 가지고 이상적인 생체환경에 따라 살라. 그러면 나이 들수록 젊은 외모, 넘치는 에너지를 과시할 수 있을 것이다.

잊지 마세요! 생명 에너지 탱크는 한 번 탕진되면 끝이에요. 두 번 다시 충전시킬 수 없답니다.

17

생체신호

자동차의 엔진이 연료 에너지를 운동 에너지로 변환시키듯 우리의 몸도 유입된 소재를 변환시켜 우리의 몸을 보존하는 데 필요한 물질과 우리의 몸을 운영하는 데 필요한 에너지를 만든다. 이러한 소재 변화, 즉 신진대사는 생명의 원동력이다. 생명의 엔진 역시 자동차의 엔진처럼 가동률에 따라 수명이 길어지기도 하고 짧아지기도 한다.

오늘날에는 기계, 비행기, 자동차의 수명을 연대기적 단위(날, 달, 년)가 아닌 사용량에 따라 측정하는 방법이 널리 사용되고 있다. 예를 들어 자동차도 비행기처럼 정비간격을 컴퓨터로 정하는 차종이 있다. 자동차에 장착된 컴퓨터가 어느 정도 가속했는지, 몇 단으로 운행했는지, 얼마만큼의 성능을 사용했는지 등을 쉴새없이 측정하고 —그에 따른 주행 킬로미터만 세는 것이 아니라— 정비간격을 정한다. 고속도로에서 10만 킬로미터를 달린 자동차와 시내에서 2만 킬로미터를 달린 승용차를 소모측면에서 비교하면 시내에서 2만 킬로미터를 달린 자동차가 더 낡았음을 알 수 있다. 수명을 표기할 때는 어떤 물체 또는 유기체가 얼마만큼의 작업량을 해치웠는가 묻는 것이 햇수로 얼마나 오랫동안 존재했는가를 묻는 것보다 훨씬 더 논리적이다.

생명시계가 움직이는 박자는 직접 정하세요.
생명 템포가 느릴수록 생명 에너지는 오랫동안 쓸 수 있답니다.

인간에게는 작업량을 측정하고 기록하는 컴퓨터가 내장되어 있지 않지만 정상적인 경우 우리의 신체가 어떻게 살아야 할지 신호로 알려준다. 생체충동을 감지하고 그에 따르는 사람은 실수가 없다. 문제는 오늘날 일상적인 삶을 살아가는 우리가 생체신호들을 듣지 못하고 스쳐 보내는 일이 자주 일어난다는 데 있다. 우리의 내적 충동은 현대적인 삶에 맞지 않으며 그 발전도 나날이 가속되는 우리 시대의 변화에 보조를 맞추지 못하고 있다. 그래서 생체의 욕구조차 의식하지 못하는 일들이 생기는 것이다.

올바른 신호—잘못된 반응

얼마 전 생명 에너지의 비밀에 관해 강연을 할 때였다. 한 젊은이가 자신은 에너지가 너무 적은 것 같다고 털어놓았다. 저녁이면 늘 피곤하여 10시 반이면 잠자리에 들어야 다음날 어느 정도 견딜 수 있다는 것이었다. 그의 하루 일과에 관해 물어보니 젊은이는 스트레스가 무척 심한 생활을 하고 있었다. 면담도 많고 시간적 압력도 심했다. 하루 12시간씩 쉴새없이 일해야 할 때도 드물지 않았다. 그런 시간을 보낸 뒤에는 너무 피곤해 쉬고 싶은 것이 정상적인 인간이다. 자신의 유기체가 재생을 위한 휴식을 달라고 비명을 지르고 있다는 말을 들은 젊은이는 너무도 놀라 어쩔 줄 몰라했다. 그는 지극히 정상적인 생체신호를 개인적인 약점으로 잘못 해석하고 있었던 것이다.

 당신의 몸을 자동차와 비교한다면 신진대사는 엔진이에요.

그 젊은이뿐 아니라 너무도 많은 사람이 자신의 생체신호를 잘못 해석하고 있다. 다음의 생체신호들은 거의 대부분 잘못 해석되고 있는 것들이다.

- 저녁이 되어 어두워지면 수면 호르몬(멜라토닌)이 유기체 내부에 흐른다. 따라서 피로감이 느껴지고 수면욕구가 나타난다. 하지만 현실적으로는 환하게 밝힌 전등불, 텔레비전, 그리고 엄청난 활동성이 피로를 몰아낸다. 정상적인 저녁시간에 꾸벅꾸벅 조는 사람은 잠꾸러기라며 오히려 웃음거리가 되고 만다.
- 몸을 늘려 기지개를 펴고 싶은 욕구는 휴식시간이 되었다는 신호다. 하지만 우리는 휴식을 즐길 여유가 없다고 믿기 때문에 쉬는 대신 커피 한 잔으로 우리의 몸을 혹사시킨다.
- 더우면 땀이 나서 자연스러운 방식으로 몸이 과열되지 않도록 해준다. 에어컨 시설이 완벽한 사무실에서는 이와 같은 보호 메커니즘이 더 이상 기능을 하지 않는다. 그래서 감기에 잘 걸린다.
- 배가 고프다는 신호는 언뜻 느끼기에 명백한 언어인 것 같다. 하지만 현대의 우리는 패스트푸드, 저질 음식, 그리고 급히 먹거나 일하면서 먹는 습관이 몸에 배었다. 따라서 몸을 효율적으로 유지하기 위해 음식을 섭취한다는 본래의 생물학적 의미로부터 점차 멀어지고 있다.

- 축 늘어진 근육, 허약한 순환계, 에너지 결핍은 대부분 운동량을 늘려야 한다는 신호다. 하지만 많은 사람이 불필요한 시간을 낭비하지 않겠다는 핑계로 근육강화 크림이나 로션을 바르고 의심스런 운동기구를 사용하며 피곤을 몰아준다는 파워 드링크를 마시곤 한다.
- 우울하면서 단 음식에 대한 욕구가 강하면 햇볕을 쪼이거나 빛을 받아야 한다는 신호다. 하지만 우리는 단 음식이나 담배를 피움으로써 문제를 해결하려고 한다.
- 다리가 무거우면 일어서서 움직여야 하는데 오히려 자리에 누워버린다.

이 책은 생체신호를 감지하는 방법, 그리고 그 신호에 제대로 반응하는 방법들을 소개하고자 한다. 당신은 일상생활에서 생물학적 게으름을 실천할 수 있을 뿐 아니라 그를 통해 보다 많은 에너지와 활력을 선사받을 수 있는 방법들을 알게 될 것이다. 또한 생명의 불 속에 적당량의 '신진대사 연료'를 넣는 방법, 체내 에너지 낭비를 줄이는 방법 등을 배우게 될 것이다. 그러면서 깨닫게 될 것이다. 게으른 삶은 단순하면서도 즐거운 삶, 애쓸 필요도 없고 실패에 대한 두려움도 없는 삶이라는 것을. 생물학적으로 게으른 삶은 인간의 본성에 입력되어 있으므로 참으로 즐거운 삶이라는 것을 절실히 느끼게 될 것이다.

내 몸에서 나오는 에너지 공급

하늘이라도 날 것 같은 들뜬 기분을 느껴본 적이 있는가? 사랑에 빠졌을 때, 운동을 충분히 했을 때, 그리고 스트레스 상황에서도 그런 기분이 찾아온다. 이러한 느낌이 생기는 것은 힘든 상황에 올바로 대처하기 위해 몸이 내보내는 호르몬과 신경전달 물질 때문이다. 이 물질들은 뇌에서도 분명한 신호를 발하여 처음에는 기분을 최고로 만들어주지만 나중에는 중독이 되게 한다.

비상용 프로그램

갑작스런 위험, 충격적인 소식, 심각한 중병 등 엄청난 부담을 처리해야 할 때 우리 몸은 우선 특정한 비상조치를 취한다. 그 비상조치는 신체적, 정신적으로 예외의 상황에 적절히 대응할 수 있게 해준다. 이때 신진대사는 잠깐 균형을 상실하며 각종 호르몬이 신체를 극히 활동적으로 만든다. 심장은 더 빨리 뛰고 혈압은 상승하며 동작들이 빨라지고 목표지향적이 되며 면역체계는 힘을 잃는다. 또한 혈액은 에너지 공급원(당분, 지방산)으로 가득 차며 몸 전체가 적극적인 행동에 임할 준비를 한다. 각종 호르몬은 생명을 유지시키며 에너지는 전투를 하거나 도망치기 위한 힘을 제공한다. 이러한 생체 프로그램

 스트레스 반응은 늘 행동단계와 이완단계의 두 단계로 구성되죠.

은 각성효과가 있기 때문에 우리는 평소와 다른 스스로의 능력에 놀라게 된다. 기분도 최고로 고조되어 비할 바 없이 좋아진다.

위험이 지나가면 호르몬 시스템은 체내 비상조치를 멈추고 다시 휴식과 이완의 단계를 도입한다. 이때 밀려오는 편안한 피로는 의식적으로 즐겨야 한다. 그 뒤에는 신진대사가 균형을 되찾는다. 이 같은 스트레스 사건이 짧은 시간 지속되고 또 이에 적절히 대응한다면 유기체에는 아무런 피해가 없으며 오히려 평범한 삶에 맛을 내는 양념이 될 수 있다.

스트레스 반응에서 중요한 것은 행동단계와 이완단계를 모두 거쳐야 한다는 점이다. 그렇지 못하고 평소와 다른 부담이 계속 이어져서 유기체가 균형을 되찾지 못하면, 다시 말해 비상조치의 두 번째 단계가 시작되지 않으면 신체는 결국 한시적인 활동과 각성상태에 빠져 예민하게 맞추어진 경보 센서와 같아진다. 즉 전화벨 소리만 울려도, 팩스만 들어와도 진땀이 흐르거나 불쾌해질 수 있다. 일정한 시간 동안 그런 스트레스 요소를 많이 견뎌야 할수록 신체적, 정신적 적응력은 떨어진다.

장기적으로는 유기체가 약해져 여러 가지 질병에 걸릴 가능성이 높아진다. 우선은 별탈 없는 감기일 수 있지만 나중에는 위장장애가 생기고 위궤양, 심장순환계 질환, 심장마비, 심지어는 암까지 찾아온

INFO

생명 에너지를 합리적으로 운용하는 사람은 신체에 심한 부담을 주지 않는다. 신체도 이렇게 조심스런 대우에는 상쾌한 기분, 멋진 용모로 감사를 표한다. 그것만으로도 생각을 조금 바꾸고 의식적으로 살아갈 가치는 충분하다.

다. 오늘날 학자들은 알레르기를 비롯하여 성인병이라 불리는 수많은 질병과 다양한 형태의 염증이나 발기부전증도 만성적인 스트레스가 원인인 경우가 많다는 데 의견일치를 보고 있다.

호르몬이 만드는 환각상태

비상상태에 처했을 때 신체가 활발하게 움직이는 것은 다양한 호르몬의 작용 때문이다. 긴장상태에 돌입하면 우리 몸의 부신에서는 우선 카테콜라민, 아드레날린, 노르아드레날린을 쏟아내고 그 다음에는 당류 코르티코이드(특히 코티솔), 마지막으로 성장 호르몬을 혈액 속으로 방출한다.

아드레날린이 방출되면 몸은 최상의 컨디션이 된다. 아드레날린은 체내에 축적된 모든 저장분을 신속하게 가동시키며 그 외에도 다른 호르몬들을 만들어내는데, 특히 신진대사 전반을 가속시키는 갑상선 호르몬들을 방출시킨다. 또한 심장과 혈액순환을 자극하고 혈액을 에너지로 가득 채우며 경각효과도 만들어낸다. 아드레날린은 단기적으로는 신체를 최적의 상태로 만들어주기 때문에 우리는 무슨 일이든 반드시 달성할 수 있다는 느낌을 받는다. 그럴 때면 자신에게도 한계가 있다는 느낌 따위는 완전히 사라진다.

위험한 상황에 처했을 때 스트레스 호르몬은 살아남는 데 도움이 돼요.
하지만 스트레스 호르몬이 지속적으로 방출되면 그 효과는 정반대로 바뀌죠.

노르아드레날린도 대개는 아드레날린과 비슷한 작용을 하지만 그와 동시에 반대작용도 한다. 아드레날린과 노르아드레날린은 교감신경계에서도 만들어지며 다양한 종류의 감각적 인상에 직접 반응한다. 기분 좋은 감각적 인상들이 즉각적으로 강렬한 영향을 미치는 이유가 바로 여기 있다. 예를 들어 오븐에서 갓 나온 과자 냄새를 맡자마자 식욕을 느끼는 것, 사랑하는 이의 살갗이 스치는 순간 애무하고 싶은 욕구가 이는 것도 이들 호르몬의 작용이다.

코티솔 역시 부신에서 나오는 호르몬으로, 스트레스 상황에서 중요한 역할을 한다. 정상적인 상황에서의 코티솔은 통증을 없애주고 상처를 치료해주는 호르몬이지만 긴장상황에서는 과다한 양이 방출되기 때문에 앞에서 언급한 좋은 효과가 정반대로 역전된다. 즉 뼈조직이 해체되고 피부와 머리카락이 빛을 잃으며 유기체는 빠른 속도로 노화된다.

이는 코티솔이 분해 대사작용을 하기 때문이다. 코티솔은 단백질, 특히 근육 단백질과 콜라겐의 해체를 촉진하므로 늘 격무에 시달리는 사람들은 뺨이 움푹 들어가고 광대뼈가 두드러져 보인다. 과다한 양의 코티솔은 그 외에도 위궤양, 십이지장궤양을 불러일으키고 저항력을 약화시킨다. 그래서 휴가가 시작되면 늘 감기에 걸리는 사람이 생기는 것이다. 또한 긴장을 풀지 않고 살아가는 사람들 역시 평

스트레스를 받으면 아드레날린과 노르아드레날린은 우리의 감각을 예민하게 만들어주죠. 스트레스가 심한 사장이 여비서의 매력에 약한 이유도 바로 여기에 있답니다.

소 코티솔의 혈중농도가 높아 저항력이 약한 편이다. 그러다가 휴가를 받으면 긴장상태에서는 억지로 최적의 컨디션을 만들어주던 호르몬의 수치가 낮아지면서 병원균들이 생기를 띠고 저항력이 이미 약해져버린 유기체를 쉽게 공략하는 것이다.

스트레스로 인한 최상의 컨디션, 거기에 익숙해지면 우리의 뇌는 중독증에 걸린다. 뇌에는 신경전달 물질을 받아들이는 수용체가 있다. 스트레스성 최상의 컨디션에 익숙한 사람의 뇌는 행복감을 계속 전달하도록 프로그래밍되어 있어 행복한 느낌을 주는 신경전달 물질을 계속 찾게 된다. 그러면 우리는 뇌의 욕구를 만족시켜줄 상황을 찾아 나선다. 하지만 언젠가는 ―그것도 얼마 안 가서― 몸 속에 있는 호르몬이 모두 탕진될 테고, 그러면 어떤 상황도 행복감을 주지 못한다. 체내의 자연성 마약이 바닥을 드러냈기 때문이다. 그럴 때 사람들은 최고로 좋았던 기분을 다시 맛보기 위해 인공마약, 화학약품에까지 손을 뻗치게 된다.

INFO

뇌에서 방출되는 힘

뇌는 우리의 컨디션을 최고조로 높일 수 있다. 운동을 하고 엔도르핀이 방출될 때가 그렇다. 또한 사랑하는 연인의 다정한 손길을 즐길 때도 기분을 좋게 하는 호르몬 옥시토신이 혈액 속으로 들어온다. 하지만 스트레스 상황에서도 아드레날린, 노르아드레날린, 코티솔이 방출되면 좋은 기분이 느껴진다. 이들 스트레스 호르몬은 우리를 환각상태에 빠지게 하여 점점 더 짧은 시간 내에 점점 더 많은 일을 해낼 수 있을 듯한 느낌이 들게 한다.

체내의 각성제가 동이 날 때

보다 짜릿한 느낌을 찾는 사람들은 암페타민 등의 각성제를 사용하기도 한다. 각성제는 단기적으로 능률과 집중력을 높여주어 사람을 황홀경에 빠지게 하지만 정신병적 반응과 환각상태를 불러올 수도 있다. 특히 심리적으로 중독증을 일으킨다. 게다가 신체는 각성제에 대한 면역성이 빨리 생기므로 이미 중독된 환자는 사용량을 계속 늘려야 한다.

1960~1970년대 독일에서는 코카인이 문제였다. 마약이라 할 수 있는 코카인은 복용자에게 날개를 달아주고 암페타민을 다량으로 복용한 것과 같은 효과를 낸다. 하지만 코카인의 효과는 오래 가지 않으므로 점점 더 자주 복용해야만 한다. 그 결과 코카인을 과다복용하게 되고 결국 독성 중독현상으로 이어져 혈압이 높아지고 근육 경련이 일어나며 환각증상이 나타난다.

호르몬이나 마약으로 인한 환각상태가 지난 뒤 진정제, 신경안정제를 복용하는 것도 위험한 짓이다. 발리움(Valium)을 비롯한 신경안정제는 불면증, 불안증상에 수없이 처방되고 있다.

바이오 힌트 : 중독증을 피하는 방법
➡ 지금 당신의 몸 속에서 아드레날린성 스트레스 프로그램이

마약은 절대 안 돼요!
마약 대신 체내의 자연 각성제를 사용하세요.

진행 중이라면 두 번째 단계인 이완단계가 시작되는 것을 막지 말라. 그러면 당신의 몸은 균형을 되찾을 수 있게 될 것이다. 또한 잠재적 중독증상이 최고의 컨디션에만 집중되지 않으며 긴장을 풀고 쉬는 휴식도 그리워하게 되면 당신의 몸은 긴장과 이완으로 이루어진 스트레스 반응 전체에 익숙해질 것이다. 수면, 운동, 영양섭취, 사교생활 등 활력을 주는 자연요소를 사용하라.

INFO 이미 마약을 사용하는 사람이라면?

당신의 마약 사용은 점멸하는 경고등이다. 그렇게까지 달리며 몸을 혹사해야 한다면 당신의 인생에서 무엇인가 잘못되어 있는 것이다.

제2장

생체의 법칙 — 에너지 절약과 수리에 관하여

체내의 에너지 생산

자동차가 달리기 위해서는 에너지가 필요하듯 우리도 살아갈 힘을 갖기 위해서는 에너지가 필요하다. 엔진에서는 공기와 휘발유의 혼합 가스에 불을 당겨 폭발시키는데, 이때 휘발유에 저장된 에너지가 운동 에너지로 변환되어 자동차 바퀴를 구르게 하지만 에너지의 비교적 많은 부분이 열로 손실된다. 엔진은 늘 에너지를 공급받아야 하므로 탱크가 텅 비면 더 이상 작동하지 못한다. 또한 기화(氣化)장치에도 늘 신선한 산소가 공급되어야 한다. 그렇지 못하면 연료가 연소될 수 없다.

유기체인 우리의 몸도 상황은 비슷하다. 유기체인 경우 에너지는 작은 발전소 역할을 하는 신체세포에서 나온다. 연료는 자유 지방산과 당분이며 이는 세포 내에서 특수한 에너지 단위로 변환된다. 그것이 바로 인체에서 가장 중요하고 에너지도 풍부한 화합물인 아데노신 삼인산(Adenosintriphosphat, ATP)이다. 아데노신 삼인산은 에너지가 필요한 대부분의 세포 활동에 사용되는 세포의 에너지 화폐다.

아데노신 삼인산은 신체를 작동시키는 특수연료다. 에너지 생산과정이 효율적으로 이루어지기 위해서는 첫째, 산소가 필요하며 둘째, 이때 발생되는 폐기물을 세포 밖으로 운반해야 한다. 그 외에도 반응

산소가 없으면 아무것도 이루어지지 않는다. 주위에 늘 신선한 공기가 충분하도록 배려하라. 정기적으로 환기시키고 잠을 잘 때도 창문을 조금 열어두며 낮에는 바깥 공기를 쏘이도록 하라.

속도를 높이는 촉매제 역할을 하는 효소가 필요하다. 연료를 사용하는 효소는 발전소와 세포에서 발생되는 폐기물을 처리할 수 있는 만반의 준비를 갖춰야 하며, 어떠한 결함도 있어서는 안 된다. 연소용 엔진과 달리 유기체에서 방출되는 열은 폐기물이 아니라 몸이 온전히 작동할 수 있는 온도를 유지해준다. 연료생산이 최적의 상태면 우리는 그 사실을 온몸으로 느낄 수 있다. 근육 수축과 같이 의식적인 활동을 할 때나 호흡, 소화 등 무의식적인 신진대사 과정을 치를 때도 에너지가 계속 공급되기 때문이다.

에너지 요인 — 영양

에너지는 '작업을 수행하는 능력'이라 정의할 수 있다. 신체는 대개 음식물에서 화학적 에너지의 형식으로 에너지를 섭취한다. 간단히 말해 음식물은 생명의 휘발유인 셈이다. 음식은 에너지이자 건축재로, 유기체가 생존할 수 있도록 해주며 신체적, 정신적 건강이 자랄 수 있는 근간이다. 매일 먹는 음식은 우리가 얼마나 건강하고 민첩한지, 우리의 면역체계가 얼마나 강한지, 그리고 우리의 외모가 어떻게 보이는지를 결정한다. 그러므로 음식물 섭취에 특별한 주의를 기울이는 것은 매우 중요한 일이다.

음식물 섭취는 양과 종류 모두 중요하다. 음식물의 잠재력은 다음과 같은 기본 소재의 모습을 갖고 있다.

정기적으로 운동을 하세요.
그러면 더 많은 산소가 체내로 들어올 거예요.

탄수화물

탄수화물은 당분으로, 신속하게 혈액 속으로 들어가며 근육을 위한 에너지를 제공한다. 따라서 탄수화물은 인기 있는 에너지의 원천이다. 특히 내장기관과 조직, 근육과 뇌는 탄수화물을 잘 사용한다. 탄수화물은 곡물, 과일, 야채, 콩류, 감자 등 주로 식물성 음식물에 들어 있으며 전분의 형태로 섭취하는 것이 가장 좋다. 전분은 혈액 속으로 천천히 들어가서 오랫동안 포만감을 준다. 탄수화물을 지나치게 섭취하면 지방으로 저장된다. 체내에 섭취된 탄수화물은 소화계에서 단당류, 이당류로 분해되는데, 이때 주로 포도당이 생긴다. 포도당은 당분대사에서 핵심적인 분자구조물로, 근육에서 직접 사용할 수 있으며 뇌의 유일한 에너지 공급원이다. 그 외 대부분의 기관은 지방산을 에너지로 변환시킬 수 있다.

단백질

단백질은 탄수화물과 같은 양의 에너지를 제공하지만 호르몬, 효소, 세포, 피부, 머리카락, 근육 등을 만드는 데도 쓰인다. 단백질의 구성단위인 아미노산은 극단적인 부담상황에서만 에너지 수요를 위해 연소된다. 단백질이 과다하면 정맥혈관, 심장의 관상혈관 등 체내에 저장되어 위험하지만 지방처럼 눈에 확 띄지는 않는다. 하지만 단백질이 지나치게 많으면 부신은 추가적인 부담을 받게 되고, 장기적으로 볼 때 혈관 질환에 걸릴 위험이 높아진다. 우리 몸은 소량의 단

균형 잡힌 식사를 하지 않으면 장기적으로 볼 때 능률, 건강, 기쁨에 넘치는 삶이 불가능하죠.

백질만을 저장할 수 있다. 따라서 성인의 경우 매일 45~55그램의 단백질을 섭취해야 하는데, 그 중 절반은 우유, 치즈, 계란, 고기, 생선에서 섭취하는 것이 좋다.

지방
지방은 탄수화물, 단백질보다 두 배의 에너지를 공급한다. 지방은 에너지 공급원이기도 하지만 세포벽, 호르몬, 신경전달 물질 등의 재료로 쓰인다. 과도한 양의 지방은 급격하게 체중을 늘리고 동맥경화에 걸릴 위험도 커진다. 그러므로 지방 섭취는 가능한 한 줄여야 하며 동물성 지방도 리놀산 함량이 높은 식물성 지방(해바라기 기름, 옥수수 기름, 밀눈 기름)으로 대체해야 한다.

비타민
우리 몸은 유기물질인 비타민을 생산하지 못하거나 적어도 충분한 양을 생산하지 못하므로 음식물 섭취를 통해 조달되어야 한다. 비타민은 우리 몸 안에서 이루어지는 다수의 건설 및 재건설 작업에 참여함으로써 주된 양분의 분해를 가능하게 하고 신진대사를 조절하며 새로운 체내 물질의 생성을 돕는다.

미네랄과 미량원소
여기에는 거의 모든 생명 영역에서 중요한 역할을 하는 식물성,

영양분은 신체를 위한 연료예요.
좋은 음식을 먹되 적당한 양을 규칙적으로 섭취하도록 하세요.

동물성 조직의 무기물질이 해당된다. 미네랄과 미량원소들은 신체의 지주물질(치아, 뼈)이며 효소활동을 돕고 신경자극의 전달에 관여할 뿐 아니라 세포벽의 투과성을 조절하고 체액의 완충장치 역할을 한다. 또한 필요한 양에 따라 다량원소(칼슘, 마그네슘 등)와 미량원소(망간, 코발트 등)로 구분할 수 있으며 반드시 음식물을 통해 섭취해야 한다.

섬유질

섬유질은 식물성 세포벽과 구조로 구성되며 인체 내에서는 거의 분해되지 않는다. 용해성 섬유질은 섭취된 음식물이 위 속에 머무는 시간을 연장시킴으로써 포만감을 빨리 느낄 수 있을 뿐 아니라 오랫동안 지속된다. 그러므로 섬유질은 자연적인 식욕감퇴 물질이라 할 수 있다. 섬유질이 많은 음식물을 먹으면 모든 종류의 탄수화물 분해 속도가 느려져서 혈중당도가 올라가는 속도도 느려진다. 그 결과 포만감이 장기간 지속된다. 비용해성 섬유질은 장 속에서 부풀어 부피가 커지므로 소화작용이 원만히 이루어지도록 돕고, 신진대사 생산물을 신속히 배출시킨다.

식물의 이차적 성분

식물의 이차적 성분이란 과일과 채소의 색깔, 맛, 향기 요소를 지칭하는 개념이다. 그간 수많은 연구결과에 의하면, 이러한 물질들은 건강촉진에 분명한 영향력을 가지고 있으며 심혈관성 질환과 암까지 막아주는 중요한 역할을 하고 있다.

체내의 에너지 공장

일을 할 때 육체는 지속적인 에너지를 필요로 한다. 이 에너지는 앞서 언급한 아데노신 삼인산(ATP)이 공급하며 근육에는 이와 더불어 크레아틴인산(creatine phosphate)이 공급된다.

ATP와 크레아틴인산은 에너지 저장체지만 긴장상태가 몇 초 동안 지속되어도 모두 소진되기 때문에 계속해서 새로 만들어져야 한다. ATP와 크레아틴인산의 생산 메커니즘은 여러 종류가 있으며 신체적 부담이 얼마나 격렬한지, 체내에 산소량이 얼마나 되는지에 따라 서로 다른 메커니즘이 가동된다.

당분(글루코스)과 지방산은 주된 에너지 공급체다. 혈액 내에 산소량이 충분하면 이러한 물질들은 매우 효율적으로 이산화탄소, 물, 에너지로 분해된다(호기성 분해). 하지만 사용가능한 산소량이 부족하면 당분은 산소 없이 분해될 수도 있다(혐기성 분해). 혐기성 분해는 호기성 분해보다 빠르지만 에너지 소모는 13배 정도 많다. 그 외에도 불필요한 유산이 생겨나 세포기능을 침해할 뿐 아니라 근육통까지 생긴다.

음식물 속에 들어 있는 자연 건강물질을 섭취하면 잘못된 식생활로 인한 노화와 생명마모 현상에 효과적으로 대처할 수 있답니다.

느긋하게 산책을 하면 신체의 전반적인 에너지 수요는 천천히 증가하기 때문에 필요한 에너지를 호기성 분해방식으로 얻을 수 있다. 조금 빠른 달리기를 오래하면 처음에는 산소부족 현상이 생겨 에너지가 혐기성 분해방식으로 조달되지만, 곧 산소 소비와 산소 공급 사이에 균형이 이루어져 호기성 분해방식으로 에너지를 조달할 수 있다. 하지만 빠른 속도로 달리기를 하면 사용 가능한 에너지 저장분이 모두 소비된다. 이때는 에너지가 호기성 분해방식뿐 아니라 혐기성 분해방식으로도 만들어진다. 따라서 유산이 생겨나는데 그 수치가 더 이상의 에너지 소비를 방해하는 정도에 이르면 결국 달리기를 계속할 수 없게 된다. 그 시점이 언제 도래하는가는 개개인의 훈련상태와 유전적 자산에 따라 달라진다. 지방산은 당분 저장량이 다 소모되고 난 뒤에야 사용되기 시작하며 산소가 충분할 때, 다시 말해 느림보 장거리 걷기처럼 별로 힘들지 않은 작업을 오랫동안 계속할 때 소비된다.

바이오 힌트 : 에너지 균형을 최적화하는 방법

➡ 당분을 피하라!

당분은 주된 연료기는 하지만 에너지 도둑이 되기도 쉽다. 식사든 간식이든 당분을 그대로 섭취하면 혈중당도를 낮추는 호르몬 인슐린이 다량으로 방출된다. 이렇게 해서 혈중농도가 떨어지면 허기와 피로가 느껴져서 먹을 것을 찾게 되는데, 이때 초콜릿 같은 에너지 폭

적절한 운동을 정기적으로 하세요.
그러면 신체의 에너지 균형을 개선할 수 있거든요.

탄을 또다시 집어들어서는 안 된다.

➡ 순수 당분이 다량으로 함유된 제품의 소비를 제한하라!

단 음식, 패스트푸드 디저트, 빵에 발라 먹는 제품, 마가린, 백밀가루 제품, 흰쌀 제품, 레몬주스와 과일주스를 줄이라. 그 대신 혈액 속으로 흡수되는 속도가 느린 복합 탄수화물이 함유된 식품, 즉 현미제품, 통밀제품, 감자, 각종 콩류, 야채를 많이 섭취하라.

➡ 지방과 당분을 모두 함유한 식품을 피하라!

이러한 식품들은 에너지 균형과 몸매에 대단히 위험하다. 초콜릿과 초콜릿이 함유된 제품, 크림 케이크, 바게트, 크루아상, 토스트 빵, 그리고 그 위에 잼류를 발라 먹어서는 절대 안 된다. 당분은 에너지를 얻기 위해 연소되지만 지방은 거의 사용되지 않은 채 당신의 엉덩이와 배로 고스란히 이동하기 때문이다.

천천히 다가오는 에너지 결핍현상

체내의 에너지 공장이 충분히 가동하지 않아도 그로 인해 발생하는 문제들이 처음에는 천천히 나타난다. 한 세포가 충분한 양의 에너지를 공급받지 못하면 적절히 일하지 못한다. 이러한 에너지 결핍현상이 여러 세포에 나타나면 결국 개별적인 기관들이 오작동하거나 기능을 완전히 멈추는 일까지 생긴다. 세포는 기관의 최소 단위이기 때

INFO

심리적 스트레스도 호흡능력을 낮추므로 에너지 생산방식을 혐기성 분해방식으로 바꿀 수 있다. 그럴 때 우리는 몸 안 깊은 곳에서 차가운 느낌을 받는다. 그런 상태가 오랫동안 지속되면 에너지 결핍현상이 나타날 수 있다.

문이다. 체내에 에너지 부족현상이 생겼을 때 나타나는 첫 징후는 피로, 혈관 경련, 혈액순환 장애, 부종, 두통, 편두통, 시각신경과 청각신경의 과민화(빛과 소음에 과민반응), 심장박동 리듬장애, 혈압의 상승이나 하강 등이다.

에너지가 부족할 때 나타나는 현상들

에너지 결핍이 신경섬유의 세포에 미치는 영향은 특히 심각하다. 신경섬유가 체내 자극을 신속히 전달하기 위해서는 신경세포 내부와 외부의 에너지가 적절히 배분되어 올바른 극성을 띠어야 한다. 올바른 극성을 유지하기 위해서는 에너지가 필요한데, 이때 에너지가 부족하면 신경세포에서 전하의 배분이 올바르게 이루어지지 못하므로 신경세포가 신경질적으로 반응하게 된다. 따라서 보통 때 같으면 아무런 영향을 미치지 못할 자극에도 흥분하곤 한다. 그럴 때 우리는 소음과 빛에 지나치게 민감해지고 통증에 예민해지며 사소한 일에도 불안해하고 쉽게 흥분하거나 집중력이 떨어진다. 신경체계가 훨씬 많은 정보를 처리해야 하기 때문이다. 신경체계에 과도한 업무가 부과되면 에너지가 더 많이 필요하지만 에너지 공급이 충분하지 않으므로 상태는 더욱 악화된다.

에너지가 결핍되면 자율신경계(우리의 의지와 상관없이 움직이는 신경계)의 자동조절 시스템과 반사작용이 안정을 잃는다. 그리하

체내 에너지 공장이 최적으로 가동하지 않으면 유기체는 점차 질병상태로 들어가게 되죠.

여 규제치를 넘어서는 일이 자주 발생한다. 그 결과 현기증, 소화장애, 혈압 저하나 상승 또는 과도한 호르몬 방출로 온갖 부작용이 생기기도 한다. 신경성, 과민성 장애는 많은 경우 단순한 에너지 결핍현상과 관계가 있다. 세포 내의 에너지 결핍현상이 제때중단되지 않으면 세포가 죽고 따라서 염증현상이 생긴다. 이 경우많은 의사가 기능장애, 자율신경 이상긴장증 등이라 진단하지만그것은 무지의 결과다. 예전에는 그런 상태를 가장 눈에 띄는 외적징후에 따라 '신경쇠약'이라고 불렀다.

그러므로 체내 에너지 결핍현상을 퇴치하거나 애초에 생기지 않도록 하는 것이 매우 중요하다. 하지만 에너지 부족현상은 누구에게나언제든 생길 수 있다.

산소가 부족할 때 생기는 에너지 결핍

매일의 에너지 밸런스가 균형을 이루기 위해서는 산소가 충분히있어야 한다. 호흡을 통해 체내로 들어온 공기 속의 산소분자들은 허파를 거쳐 혈액 속으로 들어간다. 일단 혈액 속으로 들어온 산소분자들은 적혈구, 철을 함유한 헤모글로빈을 마치 택시처럼 타고 산소를필요로 하는 세포조직으로 이동하여 택시에서 내린다. 이때 허파 속의 산소가 차가울수록 택시인 헤모글로빈을 타기가 쉽고 세포조직이따뜻할수록 산소가 택시에서 내리기 쉽다. 이것이 겨울 스포츠가 특

에너지 생산과정이 장애를 일으키면 신경이 예민해진답니다.
그러면 불안해지고 신경질적이 되며 과민해지게 마련이죠.

히 몸에 좋은 이유다. 겨울 스포츠를 하면 체내로 들어오는 공기는 매우 차가운 반면, 세포조직은 운동을 통해 따뜻해져 있기 때문에 산소가 헤모글로빈을 타기도 쉽고 내리기도 쉬워서 세포조직이 산소를 충분히 공급받을 수 있다.

대기오염으로 인한 산소 부족

오늘날 우리가 호흡을 통해 마시는 공기에는 많은 가스가 포함되어 있다. 이러한 가스들은 대개 허파에 상처를 내므로 산소를 받아들이는 데 방해가 된다. 산화질소, 황산, 질산염, 오존과 탄화수소 등 활성화된 화학물질이 바로 그것이다. 이런 가스들은 허파 깊은 곳에 잠재적 염증을 일으키지만 보통 사람들은 전혀 눈치채지 못하는데, 그 이유는 그곳에 통증 수용체가 없기 때문이다. 허파의 이곳 저곳에 염증이 많이 생기면 허파 내의 막들이 부풀어오르고 산소는 그 사이를 통과하기 어렵게 된다.

인구밀도가 높은 지역에서는 산소 부족이 더욱더 심하다. 자동차든 공장이든 모든 종류의 연소과정은 인간의 몸 속에서 일어나는 연소과정과 마찬가지로 에너지를 얻기 위해 산소를 소모한다. 자연상태에서는 식물, 특히 나무의 푸른 잎과 바닷속의 플랑크톤만이 산소를 만들어낸다. 그런데 대도시에는 대개 나무가 귀하기 때문에 특히 겨울철에는 필요한 만큼 산소를 만들어내지 못한다. 그래서 산소가

육체노동을 함으로써 신진대사를 통해 열을 만들어내면 서늘한 곳에서 쉴 때보다 더 많은 산소가 체외로 빠져나간답니다.

모자라는 것이다.

　그밖에도 수많은 연소과정에서(자동차 엔진처럼) 독성이 있는 일산화탄소가 생겨난다. 일산화탄소는 눈에 보이지 않지만 산소보다 300배나 강하게 적혈구와 결합함으로써 결국 산소분자를 몰아내는 효과가 있다. 특히 일산화탄소와 헤모글로빈의 결합물은 6주간 지속되기 때문에 혈액 내 일산화탄소량이 증가하며 이와 동시에 산소가 사용할 택시가 부족하므로 세포조직에 도착하는 산소량도 줄어든다.

식품 속에 함유된 질산염으로 인한 산소 부족

　잘못된 식생활도 산소 부족을 유발할 수 있다. 헤모글로빈 내의 철분은 정상적인 경우 산소와 결합할 때 그 원자가를 잠정적으로 변화시킨다. 다시 말해 철분은 산소와 결합할 때와 결합하지 않을 때 두 개의 상이한 원자가 상태를 가진다. 하지만 음식을 통해 과다한 질산염을 섭취하게 되면 철분의 원자가가 반전 불가능한 상태로 변화된다. 이렇게 변화된 헤모글로빈은 산소 수송에 더 이상 사용되지 않는다.

　질산염은 음식(비료를 과잉 사용한 야채, 육류와 소시지류의 첨가제)뿐 아니라 식수, 특히 농사를 많이 짓는 지역과 포도 재배지역의 식수를 통해서 대부분 체내로 들어온다. 그러나 질산염의 위험은 여기서 그치지 않는다. 질산염은 입과 위에서 아질산염으로 변하고 아질산염은 음식 속의 아민과 결합하여 니트로아민을 만드는데, 니트로아민은 잠재적으로 암을 유발하는 것으로 알려져 있다. 예를 들어 식수에 질산염이 많이 함유된 지역에서는 신장암 발생률이 높다. 이런 지역에서 신장암 발생을 막기 위해서는 샐러드에 레몬산을 뿌리고, 소금에 절여 훈제한 소시지 및 햄류는 식초나 비타민 C와 함께 먹어야 한다. 아질산염은 특히 어린이에게 해롭다. 왜냐하면 어린이에게는 변화된 헤모글로빈을 정상으로 되돌려주는 효소가 없기 때문이다. 이 효소는 어른이 되면 완전한 활동성을 보이지만 질산염이 과도하게 섭취되면 역부족이다.

인체 특유의 생존 프로그램으로 인한 산소 부족

인체의 생존에 유용한 메커니즘이 산소 부족을 제어하는 자동기제를 오히려 과부하시킬 수 있다. 우리 몸은 혈액 속의 산소량을 꾸준히 측정하며 산소량이 지나치게 적으면 즉시 비상조치를 취한다. 이런 조치는 인류가 진화하는 과정에서는 매우 유용함이 입증되었지만 오늘날의 생활방식에서는 새로운 문제점을 낳고 있다. 적혈구의 수명은 약 100~120일이다. 이 기간 중에 적혈구가 일산화탄소와 결합하면 일부는 산소를 운반하지 못하게 된다. 하지만 그뿐이라면 문제는 그다지 비극적이지 않다. 적혈구는 분당 1억 6천 개가 새로 만들어지기 때문이다. 정작 심각한 문제는 우리가 오염된 공기 속에서 빠져나오지 못하는 한 새로운 적혈구가 만들어지자마자 일산화탄소와 결합된다는 데 있다.

이때 유기체는 고산지대처럼 산소가 매우 적은 곳에 있는 것과 같은 반응을 보인다. 그리고 '에리트로포에틴'이라는 호르몬(신장에 90%, 간에 10% 있음)을 활성화시킨다. 이 호르몬은 귀중한 산소를 원활히 공급할 수 있도록 골수를 자극하여 적혈구의 생산을 늘린다. 이렇게 하여 적혈구가 생성될 때까지는 5일이 걸리지만 이 과정은 몸에 필요한 산소가 충분히 공급될 때까지 계속된다. 이러한 메커니즘 덕분에 인류는 진화과정에서 고산지대의 산소 부족 문제를 효율적으로 극복할 수 있었다.

유해물질로 가득 찬 도시와 공단의 공기를 마시며 사는 현대인의 몸 속에서 이 과정은 끝없이 증폭된다. 산소 운반을 위해 새로 만들어진 택시는 제조되자마자 곧바로 일산화탄소가 빼앗아가기 때문에 산소 부족이 계속된다. 혈액 속에서는 산소 부족이 지속적인 문제가 됨에 따라 세포의 새로운 형성을 계속 자극하게 된다. 그러다 보면 결국 피는 과도하게 걸쭉해져서 잘 흐르지 못하고 모세혈관이 막히게 되며, 그 결과 새로운 에너지 결핍 문제가 생긴다.

또 하나의 문제 : 단백질이 풍부한 식생활

이 상황을 더욱 극단적으로 몰고 가는 또 하나의 요인은 단백질이 풍부한 서구식 식생활에 있다. 단백질의 공급원인 치즈와 요구르트 등의 유제품과 육류는 혈액세포가 새로 형성되도록 강한 자극을 준다. 그 결과 혈액이 걸쭉해져서 혈관을 잘 흐르지 못함에 따라 생명

도시생활을 하는 사람들은 기회가 닿는 대로 유해물질로 가득 찬 공기에서 벗어나 자연 속에서 충분히 운동하며 신선한 공기를 허파 가득 들이마셔야 해요.

에 중요한 가스를 몸에 제대로 공급하지 못하게 된다. 미국에서는 이러한 현상을 '스테이크 질환'이라고 부른다.

스트레스로 인한 에너지 부족

오랫동안 계속되는 스트레스도 신체에 에너지 결핍을 불러일으키는 요인이다. 인간은 위험이나 공포에 원칙적으로 두 가지 메커니즘으로 반응한다. 도망이나 싸움으로 위기에서 벗어날 수 있다고 판단되면 근육을 자극하는 자율신경계 부분이 활성화되면서 교감신경계(활동적인 신경계)가 주도권을 잡는다. 반면에 현 상황을 극복할 수 없고 지극히 절망적이라 판단하면 부교감신경계(수동적으로 만드는 신경계)가 활동을 시작하여 극단적인 경우에는 모든 근육의 긴장이 풀리며 기진맥진하여 쓰러져서는 죽은 듯 꼼짝도 않는다.

이 두 가지 메커니즘이 오랫동안 지속되는 경우 모두 병적인 에너지 결핍현상을 낳는다. 활성화된 교감신경계의 긴장상태는 혈관벽의 신경섬유에서 노르아드레날린을 방출시킨다. 노르아드레날린은 어떤 유형의 수용체와 결합하느냐에 따라 혈관을 열거나 좁힌다. 혈액 속에 스트레스 호르몬인 노르아드레날린이 소량이라도 흐르면 혈관 근육은 이완되며 혈관이 열린다. 하지만 스트레스 상태에서는 그와 정반대로 노르아드레날린이 다량 방출되고, 이 노르아드레날린은 다

 단백질(다이어트!)이 과잉 섭취되면 피가 걸쭉해져요. 그러면 혈관을 통해 피가 잘 흐르지 못하므로 몸의 산소 공급이 나빠진답니다.

른 유형의 수용체와 반응하여 혈관을 좁히게 된다.

　세포에 영양을 공급하는 모세혈관들은 근육이 없다. 모세혈관의 혈액 충전은 앞에 놓여 있는 혈관막과 비교적 작은 혈관의 크기로 조절된다. 하지만 모세관의 앞에 위치한 혈관막과 작은 혈관들은 스트레스 호르몬의 양과 관련이 있으므로 모세혈관을 열거나 닫는 것도 결국은 스트레스 호르몬의 수위에 달려 있다. 스트레스 상황에서는 도망을 가거나 싸움을 해야 하므로 근육에 피가 충분히 공급되어 에너지를 형성하도록 하는 것이 중요하다. 하지만 강력한 스트레스는 오히려 혈관을 좁혀 근육에 도달하는 피의 양을 줄인다.

　바로 이 점이 오늘날의 생활방식에서는 치명적인 결과를 낳을 수 있다. 스트레스는 장기 안에 위치한 혈관(최고 성능을 발휘!)을 제외하고는 모든 혈관을 좁게 만든다. 도망을 치거나 싸움을 할 때 근육활동은 최고조에 달한다. 세포들이 활동을 하면 세포를 떠나가는 폐기물도 많이 생산되므로 노르아드레날린 정보와는 정반대로 혈관을 개방하게 된다. 이들 폐기물은 스트레스 분자들을 조정한다. 이 메커니즘의 의미는 작업을 하지 않는 곳에서는 어디서나 혈관을 좁게 만들어 중요한 물질들이 혈액 흐름을 타고 피가 모이는 곳, 다시 말해 혈관이 넓고 에너지가 긴급히 필요한 곳, 세포작업이 활발한 곳으로 이동되도록 하는 데 있다. 폐기물도 이러한 우회방법으로 처리가 보장

스트레스가 장기적으로 지속되면 유기체는 어쩔 수 없이 에너지 결핍에 빠지게 돼요.

된다. 결과적으로 근육은 최적의 영양 공급을 받으며 적으로부터 도망가거나 적과 싸워 이길 수 있는 가능성이 커진다.

이러한 스트레스 메커니즘은 진화를 거치면서도 그대로 보존되었다. 오늘날에도 위협을 받거나 두려움을 느끼면 예전과 똑같은 감정이 엄습한다. 세포들 안에서는 예전과 똑같은 과정이 신행되는데, 다만 한 가지 차이가 있을 뿐이다. 오늘날의 '위협'은 교통정체 때문에 꼼짝도 않고 자동차 안에 앉아서 시간을 허비할 때, 해결 불가능해 보이는 문제로 책상 앞에 앉아 화를 삭일 때, 거실 소파에 몸을 파묻고 텔레비전의 살인장면을 보며 피가 얼어붙는 듯할 때, 대형 할인점의 계산대에서 끝없이 줄을 서서 기다릴 때 우리를 찾아온다. 다시 말해 우리는 이제 근육활동을 통해서는 더 이상 스트레스 상황에서 벗어날 수 없다. 근육활동이 없다는 것은 혈관이 좁혀진 상태를 유지한다는 뜻이다.

이는 세포의 영양공급이 또다시 부족하여 에너지 결핍현상이 나타난다는 의미일 뿐 아니라 근육의 펌프질이 없으므로 혈액순환이 원활하지 못하고 심장은 좁은 혈관 속으로 피를 밀어넣기 위해 작업도를 높여야 한다는 뜻이다. 모두가 두려워하는 고혈압은 그렇게 생겨난다. 또한 에너지 공급원인 지방산이 방출되도록 자극을 받지만 운동부족으로 연소과정이 일어나지 않는 것도 추가적인 위험요인을 만든다. 혈액 속에 있는 다량의 지방산은 독으로, 무엇보다도 심장발작을 일으킬 위험이 높아진다.

스트레스 반응의 두 번째 방식은 부교감신경계를 통한 작용으로, 혈액이 하체로 몰리는 현상이다. 교감신경계의 활성화작용이 없으므로 혈관의 긴장이 빠지고 다만 중력작용으로 인하여 신체가 견딜 수 있는 것보다 많은 양의 혈액이 하체의 혈관으로 내려간다. 에너지 결핍은 가장 먼저, 가장 확실히 뇌에서 감지된다. 즉 정신을 잃고 기절하는 것이다.

더 이상 어쩔 수 없을 때

이 모든 요소가 결국은 세포, 궁극적으로는 기관의 에너지 공급을 와해시킨다. 이는 교통정체에 비할 수 있다. 엄청난 혼잡이 지나고 나면 갑자기 조용해지지만 스트레스 수준은 높아진다. 더 이상 아무것도 움직이지 않고 누구도 목적지에 도착할 수 없다. 몸 속에서 나타나는 이런 현상을 우리는 보통 '신경쇠약'이라고 한다. 그럴 때면 생명에 중요한 기관들, 특히 심장이 제 역할을 할 수 없어 몸이 균등하게 활동하도록 계속 뒷받침해주지 못한다.

이런 사고는 전기회로의 퓨즈가 타버린 것에 비교할 수 있다. 즉 신경영역에 심층적인 손상이 발생하는 것을 막아주는 것이다. 따라서 이런 상태는 '치료'라고도 할 수 있다. 신체가 휴식을 강요받으면 충분히 쉬어줘야 한다. 균형 잡힌 식사, 충분한 수면, 적절한 운동, 그리고 경우에 따라서 가벼운 안정제의 도움을 받으면 세포 내의 에너지 창고가 다시 가득 차고 몸도 힘을 얻을 수 있다.

바이오 힌트 : 세포 내 에너지 결핍을 막는 방법

➡ 산소는 생명의 샴페인이므로 많을수록 좋다. 귀중한 산소가 가능하면 폐로 많이 들어갈 수 있도록 운동을 통해 펌프질하라. 자연으로 나가라. 그곳의 공기는 도시보다 좋다. 나무와 식물을 가까이하라. 물론 산 속이나 바닷가처럼 순수한 공기를 마실 수 있는 곳에 머문다면 가장 이상적일 것이다. 휴가계획을 짤 때도 이를 유념하라.

➡ 담배를 피지 말고 담배연기가 가득한 공기를 피하라. 식당, 호텔, 기차에서도 금연석을 선택하라.

➡ 단백질이 풍부한 식사를 피하라. 특히 단백질이 많은 다이어트 요법, 예를 들어 계란 다이어트, 스테이크 다이어트(일명 황제 다이어트)는 절대 금물이다.

➡ 질산염이 함유된 음식을 피하라. 비료를 많이 쓴 야채, 소금에 절인 육류와 소시지류를 피하라. 환경농법으로 재배된 식품을 선호하라. 당신이 마시는 식수에 포함된 질산염의 함유량을 알아보고 필요한 경우 차와 커피 등을 위해서는 생수를 사용하라.

➡ 가능한 한 유해물질이 적은 음식을 먹도록 주의하고 모든 종

스트레스는 가장 무서운 에너지 도둑이에요.
그러니 꼭 스트레스를 피하세요!

류의 환경오염 물질을 피하라.

생체 내의 수리공장

작은 상처나 부상은 '저절로' 나으며 아무리 피곤해도 쉬고 나면 다시 기운을 차릴 수 있다는 건 누구나 알고 있다. 우리의 몸은 재생능력이 있어 아무리 손상을 입어도 스스로 치유할 수 있다. 우리 유기체는 믿을 수 없을 만큼 위대한 회복능력을 잠재적으로 가지고 있다. 사고나 전쟁으로 다친 사람들을 생각해보라. 그렇다고 해서 우리의 몸을 학대하거나 재생작업만을 강요해서는 안 된다. 내적인 방어력을 계속해서 극도로 혹사하면 비상사태에 대비할 수 있는 여력이 없어진다. 또한 재생능력을 고갈시킬 수도 있다. 이때 역시 생물학적 게으름이 도움이 된다. 당신 개인을 위한 수리공장에 게으름을 피울 수 있는 시간을 허용하라. 그러면 최상의 컨디션을 유지할 수 있을 뿐 아니라 능력 있는 수리공장이라면 고객을 위해 아주 특별한 비밀 서비스를 제공할 것이다. 젊음과 아름다움이 바로 그것이다.

당신의 생활방식이 미래의 외모와 느낌을 결정한답니다.
당신이 오늘 당장 투자한다면 몇 년 뒤 그 열매를 얻을 수 있을 거예요.

훼방꾼 ― 산소 스트레스

호흡은 가장 중요한 생명과정 가운데 하나지만 신체의 수리 메커니즘을 혹사시키며 산소 스트레스 또는 산화 스트레스라고 불리는 스트레스를 많이 만들어낸다. 숨을 쉴 때마다 우리는 허파 안으로 산소를 받아들인다. 그러면 산소는 근육세포 안에 있는 작은 발전소인 미토콘드리아로 이동한다. 유입된 산소의 95%는 여기서 에너지로 바뀌어 운동을 하거나 새로운 세포를 만들 때 사용된다. 하지만 나머지 5%의 산소는 반응성이 높은 중간 생산물이 되는데, 이 중간 생산물은 못된 짓을 많이 저지를 수 있다. 많은 학자가 이때의 산소를 신체 마모과정의 주된 원인으로 지목하고 있다.

우리의 생명은 전적으로 산소에 의존하므로 산소 없이는 단 몇 분도 살 수 없다. 하지만 생명의 활력소인 산소는 대단히 공격적인 가스이기도 하다. 산소는 체내에서 화학적 반응성이 높은 결합물, 즉 '프리 래디컬(free radical)'을 만들어내어 세포의 모든 구성요소를 손상시킬 수 있다.

프리 래디컬의 화학구조는 서로 상이하지만 단 하나 공통점이 있는데, 그것은 연속적인 파괴 도미노 현상을 출발시킨다는 것이다. 즉 단백질, 지방, 세포표면, 혈관, 심지어 유전자까지 체내의 대부분이 공격대상이다. 프리 래디컬의 공격을 받은 물질은 다시 독성이 강한 물질을 만들어낸다. 이처럼 비극적인 연속작용은 일단 시작되면 '항산화제'라고 불리는 억제물이 중단시킬 때까지 멈추지 않는다.

신체세포는 매일 약 15만 개의 프리 래디컬 공격물질을 수용한다. 그 첫 번째 결과는 생체분자들과 함께 작용하는 과정에서 나타나는 기능탈락 현상이지만 나중에는 극적인 현상까지 일어날 수 있다. 신체의 구성성분에 바람직하지 못한 변화가 생기면 알레르기가 나타날 수도 있다. 또 나이가 들면서 그렇게 고장난 소재들이 여러 기관에 폐기물로 쌓이면 에너지를 빼앗아가는 도둑이 된다.

따라서 산소 스트레스는 동맥경화, 관상 심장질환, 만성염증, 파킨슨병과 알츠하이머병 등의 신경성 질환, 다발성 경화증, 백내장, 암, 자율면역성 질환, 치주염 등의 질병에 걸리기 좋은 환경을 마련한다. 또한 프리 래디컬로 야기된 장기적 손상은 노화과정을 유발할 수도 있다.

하지만 프리 래디컬은 신체를 파괴하기 위해 진화가 만들어낸 발명품이 아니다. 프리 래디컬은 세포의 정상적인 생명 흐름에 반드시 필요한 물질이기도 하다. 그래서 면역체계에 속한 여러 세포는 박테리아와 바이러스에 감염된 세포를 죽이기 위해 프리 래디컬처럼 공격적인 입자들을 만들어낸다. '래디컬 샤워'는 면역반응에서 매우 중요한 요소다.

공격적인 산소가 유전자 DNA를 공격하면 신진대사 과정이 뒤죽박죽 혼란에 빠지면서 평생 회복될 수 없는 문제까지 야기할 수 있다. 물론 건강하고 젊은 유기체의 경우에는 수리공인 적절한 효소가 DNA의 손상을 처리할 수 있으며 잘못된 물질은 신장을 거쳐 소변으로 배설된다. 하지만 손상이 계속 남는 경우도 있는데, 나이가 들면 그런 손상들이 계속 적체되어 신체는 더 이상 제 기능을 발휘하지 못한다. 다시 말해 신체가 활력을 잃고 마는 것이다.

우리 몸에는 공격적인 입자들을 해독하고 다시 무해하게 만드는 수리효소가 수없이 많다. 한편 체내에 유입되어 항산화제 역할을 해야 하는 결합물질들도 있다. 가장 중요한 항산화제는 비타민 E(알파와 감마 토코페롤), 비타민 C, 비타민 A, 카로티노이드, 리코펜, 루테인, 셀레늄, 아연 등이다.

수리효소를 위한 게으름

수리효소를 너무 혹사하지 말고 아끼도록 하라. 당신 몸을 위해 일하는 수리공들도 지나치게 몰아대지 말고 한 번쯤 게으름을 피우며 쉬게 하라.

한계에 도달할 때까지 일하지 마세요.
긴급상황을 위한 생체 저장분이 탈진되고 말아요.

- 호흡만을 통해서도 공격적인 입자가 매일 1,012개나 생겨난다. 바쁘게 서두르거나 신경질을 부리는 생활방식은 자동으로 더 많은 호흡, 더 빠른 호흡을 하게 하여 공격적인 입자의 수를 늘릴 뿐이다. 생활방식을 바꾸어 편안한 호흡을 하게 하라. 그러면 더 힘이 나는 것을 매일의 일상생활에서 느끼게 될 것이다. 호흡을 길게 하는 사람은 스트레스와 분주함에 맞서 자신을 방어하기 쉽다. 간단히 테스트해보라. 의식적으로 깊은 호흡을 하면 목소리도 풍부해져서 다른 사람이 당신의 말을 중단시킬 수 없을 것이다. 호흡에 주의를 기울이도록 하라!
- 수많은 환경인자는 항산화 보호 시스템을 침해하거나 공격적인 산소의 발생을 야기할 수 있다. 만성적인 스트레스, 자외선, 뢴트겐, 오존, 환경 또는 식품 속의 화학물, 중금속, 담배연기, 육체에 과도한 부담을 주는 극심한 트레이닝은 주의를 기울여 피하라.
- 항산화제를 충분히 섭취하도록 노력하라. 항산화제를 섭취할 때는 유익한 조합을 이루도록 주의한다. 항산화제로는 비타민 A와 C, E가 있고 베타 카로틴, 미량원소인 셀레늄, 그리고 식물의 수많은 유색 색소가 있다. 특히 유색 과일과 채소는 뛰어난 자연산 항산화제다. 의사에게 자문을 구하라.
- 식품형태로 섭취하는 에너지는 프리 래디컬과 밀접한 관련이 있다. 그러므로 저칼로리의 올바른 식생활이야말로 당신의 수리대원들을 위한 최고로 귀중한 보호조치가 될 것이다.

- 면역체계가 활성화될 때도 공격적인 입자들이 생겨난다. 이때 생겨난 공격적인 입자들은 체내로 침투한 박테리아, 곰팡이, 기생충과 싸우는 무기가 되어 생명유지에 중요한 보호기능을 맡는다. 하지만 공격자들의 수가 면역체계 내에 지나치게 많을 때는 만성 염증, 자율면역계 질환 또는 암을 유발하기도 한다. 그러므로 병이 생기면 완전히 나을 때까지 치료하며 보조식품이 필요한지 의사에게 자문을 구하라.

- 세포, 특히 간 안에 있는 여러 가지 해독 시스템도 산소 스트레스를 만들어낸다. 몸 속에 들어온 화학물질, 환경오염 물질, 약물 등이 분해되지 않을 때 공격적인 입자들이 생겨난다. 그러므로 환경오염 물질을 최소화하고 담배를 피우지 말아야 한다.

- 체내의 항산화 세포보호 시스템이 완벽하게 작동하면 산화성 피해를 막을 수 있다. 신체의 항산화 능력을 최적으로 유지하도록 노력하라. 그러기 위해서는 균형잡힌 식사, 다양한 종류의 음식, 유해요소가 적은 음식을 취하도록 하며 합리적인 육체활동을 통해 호르몬과 비타민, 미량원소, 미네랄의 균형을 이루는 것도 중요하다.

- 신체 컨디션을 높이도록 노력하라. 그러면 환경유해 물질에 저항력이 강해져서 혈관을 젊게 유지할 수 있고 면역체계를 강화할 수 있다.

 항산화 물질의 공급이 좋을수록 젊고 힘차게 살 수 있죠.

유전자가 생명을 지배한다

유전자는 생명 설계도를 그린다. 유전자는 건강을 유지하거나 일상생활에서 스트레스를 견디는 데 매우 중요한 역할을 한다. 전문가의 견해에 따르면, 유전자원에 따라 사람마다 약간씩 차이를 보이기는 하지만 유전자의 작동방식이 환경요인, 즉 스트레스와 수면 부족, 몸에 해로운 음식 또는 흡연에 대한 반응에 결정적인 영향을 미친다고 한다. 가족성 또는 비가족성 질환, 심장발작이나 뇌졸중, 알츠하이머병, 대장암과 갑상선암, 전립선암, 유방암 등 특정 암에 걸릴 위험 확률도 유전자가 결정한다. 신체의 해독능력, DNA가 손상된 후의 수리재생 능력도 유전적으로 정해져 있다.

유전자에는 상상을 초월한 정보량이 담겨 있다. 그 정보가 사용되는지 사용되지 않는지를 결정하는 것은 여러 요소에 달린 문제지만 정확히 예측할 수는 없다. 생명 유전자가 깨어나면 효소나 전달물질과 같은 단백질 분자가 '읽혀져서' 혈액 속으로 보내진다. 이 물질은 신진대사 반응을 불러일으켜 지방이나 탄수화물을 분해하거나 손상된 세포를 수리한다.

많이 먹어도 날씬한 몸매를 유지하는 사람 또는 쉽게 뚱뚱해지는 사람, 지방대사에 장애가 생기기 쉬운 사람, 암이나 당뇨병에 걸리기 쉬운 사람 등 개인차가 있는 것도 유전정보 때문이다. 따라서 유전자

사람은 누구나 생물학적으로 독립된 개인이어서 각자의 생체법칙에 따라 산다. 운동을 하지 않아도 건강한 사람이나 줄담배를 피워도 아무런 해가 없는 사람과 자신을 비교해서는 안 된다.

원이 훌륭한 사람은 나쁜 생활습관을 가져도 비교적 손상의 정도가 낮지만 유전받은 소양이 불리한 사람은 사소한 탈선도 수리되지 못한 채 장기적인 손상을 입게 된다.

우리는 상속받은 '좋고' '나쁜' 유전자에 따라 삶이 지우는 부담을 잘 견딜 수도 있고 그렇지 못할 수도 있다.

유전자—벗어날 수 없는 운명은 아니다

사람은 누구나 부모로부터 물려받은 유전자 박스 속에서 살아간다. 박스의 규모는 예상 외로 매우 크기 때문에 각자의 생활방식은 우리의 건강에 근본적인 영향을 미친다. 즉 개인의 생활방식이 유전자 박스의 한 귀퉁이에 사는지, 가장 좋은 한복판에 사는지를 결정한다는 말이다. 유전자란 결코 벗어날 수 없는 나만의 운명이 아니다. 유전적인 위험요인은 상황에 따라 적절히 대처할 수 있다. 따라서 유전자 안에 들어 있는 가설이 손상을 입힐 것인지 도움을 줄 것인지를 결정하는 것은 결국 각자의 생활방식에 달려 있다.

유감스럽게도 오늘날의 과학수준으로는 간단한 검사를 통해 일반적인 유전성향이 좋은지 나쁜지를 알아낼 만한 방법이 없다. 어쩌면 그것은 다행한 일인지도 모른다. 그렇지 않으면 간단한 유전자 검사를 통해 천하태평으로 살아가거나 엄격한 생활방식을 취하고 싶은 유혹이 커질 것이다. 당신의 부모나 조부모를 한 번 살펴보라. 그들이 아직도 건강을 유지하고 젊게 산다면 당신에게도 황금 유전자가 숨어 있을 가능성이 높다.

바이오 힌트 : 유전자를 건강하게 유지하는 방법

➡ 유전자에 나쁜 영향을 주는 것으로 알려진 환경요소는 가능한 한 피하는 것이 좋다. 니코틴, 알코올, 마약, 과도한 태양 빛도 환경 유해요소에 속한다. 스모그, 전자 스모그, 방사선, 전자파(휴대전화!)도 마찬가지다.

➡ 호르몬, 비타민, 미량원소, 미네랄 등의 결핍현상이 나타나지 않는지 정기적으로 의사의 검진을 받고 필요한 경우에는 보충한다. 최적의 활동을 위해 당신의 수리부대는 이들 물질을 필요로 한다.

제3장
생명 에너지를 잘 쓰는 비결

아무것도 하지 않고 잠만 잔다—동물세계의 에너지 절약 프로그램

학자들은 18세기에 이미 분주한 동물들이 게으른 동물들보다 일찍 죽는다는 사실을 확인했다. 1908년 독일의 생리학자 막스 루브너(Max Rubner)는 《수명의 문제 그리고 수명과 성장 및 섭생의 관계》라는 책을 썼다. 막스 루브너는 이 책에서 "모든 동물은 킬로그램당 동량의 에너지를 소비한 뒤 성장이 완성되는 단계에 들어간다."는 결론에 도달했다. 에너지가 생명과정의 기준이라는 것이다.

그 뒤 신진대사에 관한 이론들은 생명과정이 일반적인 시간기준(시간, 날)에 따라 진행되지 않으며 에너지가 유기체의 박자를 결정한다는 사실을 시사했다. 이 에너지를 가장 효과적으로 사용하는 방법은 동물들의 예에서 찾아볼 수 있다.

삶 전체에 해당되는 사실이 각각의 삶의 단계에도 해당된다. 다시 말해 특정한 에너지 양이 소비된 후에야 다음 단계가 시작된다. 유기체는 에너지 소비량을 통해 언제 새로운 발전단계가 시작되는지 알게 된다. 다음 동물들의 사례를 살펴보면 그들의 에너지 전략에 깊은 인상을 받게 될 것이다.

게으르면 오래 산답니다.
이는 동물세계를 잠깐만 살펴봐도 곧 알 수 있는 사실이죠.

어류

잉어는 게으른 탓에 에너지를 절약해가며 산다. 잉어의 에너지는 70~100년이 될 때까지 사용할 수 있다. 오랫동안 꼼짝도 않고 물 속에 있을 수 있는 철갑상어는 심지어 150년 동안 살 수 있다. 온난한 지역(신진대사 속도가 빠름)에 사는 상어류는 대개 30년을 산다. 하지만 한랭한 지역(신진대사율이 낮음)에 사는 같은 유(類)의 물고기는 수명이 70년에 이른다.

스포츠도 생명 에너지를 소비한다. 같은 과에 속하는 동물들끼리는 활동량이 적은 유가 활동량이 많은 유보다 훨씬 오래 산다. 바다에서 자유롭게 헤엄치느라 활동량이 많은 오징어는 수명이 6~8년에 불과하다. 반면에 오징어와 같은 연체동물에 속하고 몸집도 비슷한 편이지만 거의 움직이지 않는 민물조개는 20~30년을 살 수 있다.

양서류

물이나 육지에서 모두 살 수 있는 척추동물인 도롱뇽, 개구리, 두꺼비는 조류나 포유류 같은 온혈동물에 비해 대단히 오래 산다. 양서류도 어류처럼 전형적인 냉혈동물로, 이들은 체온을 주위 환경의 온도와 비슷하게 맞출 수 있다. 주위 온도는 대개 온혈동물의 체온(섭씨

느리게 사는 생물체일수록 하루에 소비하는 생명 에너지가 적죠. 그래서 최고 수명도 그만큼 높답니다.

36~44도)보다 훨씬 낮으므로 냉혈동물의 신진대사는 온혈동물의 경우보다 매우 낮다. 즉 냉혈동물의 평균 신진대사율은 온혈동물의 1/10에 해당한다. 이러한 요인으로 길어지는 수명은 대략 계산해도 10배 정도다.

양서류의 수명에 관해서는 알려진 바가 거의 없다. 하지만 주위 온도와 수명 사이에 연관관계가 있음은 분명하다. 열대지방에 사는 양서류는 주위 온도가 높으므로 체내 에너지 소비량도 높아서 한대 또는 온난대 지방에 사는 양서류(주위 온도가 낮아서 에너지 소비도 적음)보다 수명이 짧다. 동굴 속에 사는 양서류(주위 온도는 낮고 식량 공급도 매우 한정되어 있음)는 수명이 가장 긴 것으로 알려져 있다. 예를 들어 '동굴영원'이라 불리는 도롱뇽류는 40~60년까지 산다.

파충류

거북, 뱀, 도마뱀 등 육지에서 기어다니는 척추동물은 에너지 절약의 대가다. 또한 이들 대다수가 진짜 냉혈동물로, 포유류나 조류보다 신진대사가 매우 낮은 편이다. 이들의 수명은 우리가 믿을 수 없을 정도로 길다. 300년이 된 거북에 관한 뉴스는 신빙성이 약하지만 인도양 마다가스카르 섬 근처의 세이셸 군도에 사는 커다란 거북 역시 최대 수명이 적어도 180년이라는 것은 입증되었다. 갈라파고스 제도에 사는 큰 거북 역시 최대 수명이 250년이다.

파충류의 수명은 다른 동물류와 마찬가지로 활동성과 밀접한 관계가 있다. 작고 활동적인 종류는 크고 느린 종류보다 훨씬 빨리 죽는다. 가장 오래 사는 파충류가 가장 크고 가장 느린 파충류라는 점은 특기할 만하다. 하지만 대단히 작은 거북도 매우 오래 산다. 그리스의 땅거북 수명은 100년이 넘고 유럽산 늪지 거북도 최소 70년, 독수리 거북은 58년이다.

포유류

다른 동물류에서 발견된 관계는 포유류에도 그대로 해당된다. 작은 동물은 일찍 죽고 큰 동물은 오래 산다. 또한 큰 동물일수록 기대수명이 높다.

작은 동물에게는 수명과 관련된 단점을 보완하는 몇 가지 독창적인 '에너지 절약 프로그램'이 있어 신진대사 활동률을 줄일 수 있다. 예를 들어 겨울잠이나 가수상태(에너지 절약형 경직상태)가 그것이다. 이는 유기체의 절대적인 크기가 아니라 그와 결부되어 낮아지는 신진대사의 속도, 즉 게으름이 수명 연장에 영향을 주기 때문이다.

 신체 크기를 기준으로 할 때 포유류는 다른 유기체보다 수명이 매우 짧아요. 포유류는 인간과 가깝기 때문에 노화 관련 연구에 아주 적합한 동물이죠.

작은 포유류는 수명이 약 2년으로 가장 짧다. 포유류 중에는 수명이 100년을 넘기는 경우가 매우 드물다. 코끼리나 등푸른 큰고래처럼 커다란 동물들도 거의 100년을 넘기지 못한다. 또 서로 가까운 친척관계인 동물들도 설명하기 어려운 커다란 수명차이를 보인다. 예를 들어 들판 햄스터는 수명이 3~4년으로, 사촌인 황금 햄스터보다 두 배나 오래 산다.

잠을 많이 자고 작전 타임을 갖는다

동물이 사는 방법도 에너지 소비와 수명에 큰 영향을 미친다. 이 점에서 우리가 무엇을 배울 수 있는지 알아보자.

잘 알려진 바와 같이 고양이는 매복 사냥꾼으로서 잠자는 것을 좋아하고 특히 오래 잔다. 고양이는 25년까지 사는데, 이는 매우 활동적인 몰이 사냥꾼인 개와 비교할 때 엄청난 수명이다. 개는 15~18년을 넘기지 못한다. 고향이 추운 지역이어서 적응을 위해 매우 높은 신진대사를 소비하는 개는 특히 수명이 짧다. 전형적인 예가 썰매 끄는 개의 친척들로, 이들은 10~15년을 넘기지 못한다. 겨울잠을 즐기는 포유류는 에너지를 집중적으로 사용하는 포유류보다 훨씬 오래 산다. 또한 겨울잠을 자는 박쥐는 작은 포유류로는 거의 기록에 가까운 20~30년까지 살지만, 몸집의 크기는 같아도 겨울잠을 자지 않는

쥐는 2~3년밖에 살지 못한다.

느긋한 것이 더 낫다

벌의 경우는 연구가 잘 되어 있다. 여름에 사는 정상적인 일벌 암컷은 수명이 약 6주다. 하지만 겨울을 나야 하는 일벌 암컷(겨울벌)은 9개월까지 살 수 있다. 여기서 알 수 있는 것은 유전적으로 동일한 개체군에 속하는 동물들도 생존에 필수적인 도전에 직면하면 수명이 쉽게 연장된다는 점이다. 이는 유전자원은 같지만 다른 프로그램이 활성화되어 수명을 적극적으로 조절, 주어진 도전에 적응하는 것이 분명하다.

여왕벌도 일벌 암컷들과 유전적으로는 동일하지만 오로지 특수한 먹이인 로열젤리만 먹는다는 것으로 수많은 자매와 구별되는 우월성을 갖는다. 로열젤리는 평범한 일벌을 여왕벌로 만들어줄 뿐 아니라 수명도 30년에 이르도록 극단적으로 늘려준다. 또한 누구나 알고 있듯이 여왕벌은 부지런한 일벌들과는 정반대로 벌집 속에서 매우 느긋하게 산다.

첼레(독일 니더작센 주 남부에 있는 도시)의 벌 연구소에서 일하는 학자들은 다음과 같은 결론에 도달했다. 일벌들은 평균 800킬로미터

독일에서 수명이 가장 긴 나비는 레몬나비랍니다.
이 나비는 몇 주일씩 여름잠을 자는 유일한 나비라고 해요.

를 간다. 다시 말해 수명이 800킬로미터에 이른다는 의미다. 그것은 함부르크에서 빈까지의 거리다. 물론 이만한 비행거리를 주파하려면 특정한 양의 에너지가 필요하다. 매우 부지런한 벌, 즉 먼 곳까지 날아가 꿀과 꽃가루를 수집하는 벌은 최대 비행거리를 일찍 주파하게 되고 결국 일찍 죽는다. 반면에 적게 나는 게으른 벌은 800킬로미터에 도달하는 시점이 느리고 따라서 오래 산다. 그건 자주 사용하는 자동차가 빨리 마모되는 이치와도 비슷하다.

자신의 에너지를 아끼는 동물들이 특히 오래 산다. 게으름, 충분한 수면, 완전한 활동 중지는 긴 수명으로 보답을 받는다.

66 느긋하게 살면 젊음을 오래 유지한다

인간의 경우에도 에너지 소비와 생명의 관계를 보여주는 사례들이 있다. 스트레스를 받거나 과도한 육체적 활동을 하지 않으며 수도원에 은둔하여 평온한 삶을 누리는 수녀나 수사들은 대부분 오래 산다. 또 그런 생활은 외모에도 좋은 영향을 미친다.

몇 년 전 한 화장품 회사에서 어떤 직업 그룹의 여성들이 가장 아름다운 피부를 지니고 있는지 알아내기 위한 연구조사를 실시한 적이 있다. 결과는 수도원의 수녀들이었다. 그러나 이 결과는 화장품 회사에 아무런 도움도 되지 않았다. 조사대상인 수녀들은 화장품을 전혀 사용하지 않았기 때문이다. 다만 느긋한 생활 스타일이 수녀들의 피부에 긍정적인 영향을 미친다는 사실만은 확실히 입증되었다.

상이한 직업 그룹 간의 비교결과를 살펴보면, 육체적으로 힘든 노동을 해야 하는 사람은 육체적 부담이 덜한 활동을 하는 사람보다 더 빨리 소진된 외모를 보인다. 하지만 같은 직업 그룹 내에서도 에너지 수요에 차이가 있을 수 있다. 즉 책상에 앉아서 하는 일도 스트레스와 결부되면 에너지 대차대조표에 커다란 마이너스를 기록할 수 있다는 것이다. 그만큼 스트레스 호르몬은 내면의 불을 강하게 자극한다.

X 요인—여성의 플러스 효과

일반적으로 여성은 남성보다 훨씬 오래 산다. 거의 모든 문화권에서 남녀의 수명차는 대략 10%에 달하는 것으로 나타난다. 그렇다면 여성은 남성보다 에너지를 더 절약하는 것일까? 남성보다 더 게으른가? 직장과 가정에서 이중으로 시달리는 여성들을 보면 반드시 그런 것 같지도 않다. 생물학적 비밀은 X 염색체를 통해 유전되는 여성성 자체에 있다. 여성 유기체는 보다 경제적으로 작업한다. 여성은 근육 단백질을 비롯, 힘과 속력이 남성보다 낮다. 남성은 체중의 43%가 근육이지만 여성은 36%에 불과하다. 허파 용량도 남성은 여성보다 30%가 더 크다. 남성은 피가 더 많고 산소 운반력도 더 크다. 이 모든 것이 가동률을 높여준다. 남녀간의 이러한 차이는 테스토스테론이라는 호르몬 때문인데, 이 호르몬이 남성을 여성보다 빨리 가열시킨다. 여성에게는 테스토스테론 호르몬이 남성의 10분의 1에 불과하다.

에스트로겐이라는 호르몬 덕분에 여성 유기체는 비상사태에서도 남성 유기체보다 경제적으로 활동한다. 에스트로겐은 파괴된 혈관의 재생을 촉진하고 회복과정을 신속히 이끌며, 세포의 혈액순환을 상승시키고 스트레스 호르몬인 아드레날린과 코티솔의 방출을 억제한다. 에스트로겐 효과 때문에 50세 여성의 혈관은 35세 남성의 혈관과 거의 같은 수준이다.

남녀간의 신진대사를 비교해보면 남성은 여성보다 10% 정도 신진대사 속도가 빠르다. 다시 말해 남성은 에너지 측면에서 집중성을 띠지만 바로 그 점 때문에 오래 살지 못한다. 에너지 양의 총합 면에서는 남녀간에 차이가 없다. 즉 남성과 여성은 올바른 생명단위인 '에너지'를 기준으로 측정하면 수명이 같다. 다만 우리가 일반적으로 사용하는 달력으로 측정하는 경우에 차이가 날 뿐이다.

자신의 생물학적 본성을 거스르며 사는 여성은 무엇보다 노화과정이

남성 배터리는 빨리 닳는다고 해요. 남성의 신진대사는 여성의 신진대사보다 10%나 많은 에너지를 소비하기 때문이죠.

빨라지는 것이 분명히 드러난다. 그런 여성은 남성보다도 더 빨리 늙는다.

여성을 위한 바이오 힌트 : X요인을 확보하는 방법
➡ 에스트로겐의 수치를 가능하면 오랫동안 높이 유지하도록 노력한다.
➡ 전문의의 도움을 받아 결핍되는 호르몬을 보완한다.
➡ 술을 많이 마시지 않는다. 여성의 간은 남성보다 알코올 해독
능력이 낮다.
➡ 담배를 피우지 않는다.
➡ 정기적으로 운동을 한다.
➡ 약 7시간의 수면을 취한다.

세포가 중요하다

유기체의 신진대사 속도는 유전적으로 프로그래밍된 기본설비에 속하지만 특히 인간의 경우 개인책임도 있다. 신진대사는 살아 있는 모든 세포에서 일어나는 생화학적 과정으로 '번식', '환경자극에 대한 반응능력'과 함께 모든 생물학적 시스템과 유기체 또는 생명 일반을 특징짓는 세 번째 근본적인 시스템 특성이다.
　번식, 환경자극에 대한 반응능력과 정반대로 신진대사는 산소에

시계가 너무 빨리 가거나 느리게 갈 때는 시계의 올바른 작동방식을 알아
야 시간을 제대로 맞출 수 있어요. 즉 작동방식을 고쳐야 시계가 정상으로
움직일 수 있답니다.

의존해서 사는, 다시 말해 호기성 호흡을 하는 모든 생물체에게 있어
에너지를 획득하는 수단이다. 즉 호기성 생물체는 모두가 똑같은 신
진대사 방법으로 똑같은 신진대사 물질과 똑같은 신진대사 효소를
사용한다. 모든 유기체 내에서 이루어지는, 만들고 가동시키는 과정
은 모두가 똑같은 방식이어서 경영 비밀이란 없다. 구체적으로 말하
자면 이 점에서는 단세포 동물과 인간, 그리고 새나 나무가 다르지
않다. 신진대사는 이 세상의 모든 생물체, 외견상으로는 엄청난 차이
를 보이는 유기체를 하나로 묶어주는 공통분모다. 신진대사의 근본
원칙은 진화의 과정에서도 변하지 않았다.

이처럼 보편적이고 보수적인 시스템은 시간의 흐름을 측정하는 장
치로 매우 적합하다. 그러한 정보보관 기능은 분자생물학적으로도
매우 의미 있는 일이다. 세포 내의 모든 작업과정 및 가동과정은 일
정한 양의 에너지를 필요로 한다. 특정한 양의 에너지가 소비되면 유
기체는 한 시간 단위가 끝났다는 사실을 알게 된다.

에너지의 흐름이 생명시간과 생명의 마모현상을 결정짓는다. 하지
만 유감스럽게도 우리의 몸 속에는 이러한 에너지가 영원히 솟아오
르는 샘이 없다. 우리 몸에 있는 것은 오히려 가득 채워진 에너지 탱
크에 비유할 수 있어서 언젠가는 텅 비게 된다. 그러므로 에너지를
의미 있게 사용하는 것이 무엇보다 중요하다!

에너지 소비와 최대 연령

그렇다면 인간과 동물은 대체 얼마나 오래 살 수 있을까? 또 어떤 사람과 동물은 기네스북에 오를 만큼 오래 살고, 또 다른 사람과 동물은 매우 일찍 죽는 이유는 무엇일까? 모든 사람이 생물학적 최대 연령인 120세까지 살아야 하지 않을까? 신문에 난 부고들을 살펴보면 죽음의 시점은 머리카락 색이나 눈동자 색만큼이나 천차만별이고 개인적인 듯하다. 하지만 인생을 날과 해의 연속으로 보지 말고 에너지 소비의 관점에서 보게 되면 앞서 설명한 바와 같이 대차대조표가 놀랍게 일치함을 알 수 있다. 모든 생물체는 체중 1그램당 2,500킬로줄(Joule, 에너지 측정단위)의 에너지를 사용할 수 있다. 이 에너지를 다 쓰고 나면 생명이 끝나는 것이다. 이러한 생명의 자본은 신진대사 상태와 생활습관에 따라 빨리 소진되기도 하고 느리게 소진되기도 한다. 바로 그 때문에 달력상의 날과 해로 계산했을 때 빨리 죽는 사람과 오래 사는 사람의 차이가 생기는 것이다.

생명의 시계는 태어나는 순간 움직이기 시작하여 사용 가능한 에너지 양이 모두 소진되었을 때 멈춘다(사고나 중병은 일단 예외로 간주). 시계의 비유는 에너지 소비를 보다 이해하기 쉽게 도와줄 수 있다. 에너지 소비는 신체의 특정한 가동능력과 관련 있기 때문이다. 다시 말해 심장이 몇 번 뛰고 나면, 수면 사이클이 몇 번 지나고 나

생물학적 시계의 박자에 따라 살면 삶의 질은 엄청난 플러스 효과를 보게 될 거예요.

면, 호흡을 몇 번 하고 나면 평균적으로 볼 때 초월할 수 없는 최대치에 도달하여 최대 수명의 마지막 점에 이르는 것이다. 체내의 모든 과정은 반복될 수 있는 한계치가 있다. 인간에게 이 에너지 양은 통계적으로 산출된 최대 연령과 부합한다. 사고나 질병으로 일찍 죽는 경우를 제외한다면 인간이 도달할 수 있는 최대 연령은 120세 정도가 된다. 아래 표는 이 기간 동안 특정한 신진대사 과정이 몇 번이나 반복될 수 있는지 보여준다.

 적절한 단위로 측정한다면 모든 사람과 동물의 수명은 같아요.

INFO

사람은 얼마나 오래 사는가?

한 사람의 수명은 체내에서 일어나는 생리적 과정의 횟수로 표현할 수 있다. 유기체 내의 어떤 과정도 무한히 반복될 수는 없다.

생명 사이클	1
호흡 사이클	200, 000, 000
장 수축	300, 000, 000
심장박동	1, 000, 000, 000
눈깜박임	20, 000, 000, 000

현대의 오래된 신호들

오늘날 (직장에서의) 일상생활을 보면 많은 것이 변했음을 알 수 있다. 그 변화는 너무 빨라서 우리의 생체 프로그램이 보조를 맞출 수 없을 정도다. 우리가 때로 불편을 느끼는 것도 놀라운 일은 아니다. 하지만 변화의 진짜 원인이 무엇인지는 우리 자신도 잘 모를 때가 많다. 스스로를 의심하기 전에 여기 제시된 몇 가지 답변을 살펴보자.

새로운 시간계산법—웹 달력

노동생활이 건강에 주는 부담은 점점 더 늘어가고 있다. 그 이유는 매우 다양하다. 즉 몇 시간씩 꼼짝도 않고 계속 앉아 있어야 하는 단조로운 생활, 휴대전화와 이메일을 통해 언제나 연락을 받아야 한다는 강요된 상황, 미국의 일부 의학자들이 주장하는 웹 달력 등이 그것이다. 그들의 주장에 따르면 네트망으로 연결된 노동 1년은 정상적인 노동 3년의 부담에 해당한다.

최근 하이테크 기업들이 직원의 건강을 위해 투자를 아끼지 않는 것도 놀라운 일이 아니다. 예를 들어 독일의 지멘스 회사는 체육학자를 고용하여 사내 예방 프로그램을 운영하고 있는데, 2001년 봄까지 모두 400명의 직원이 이 프로그램에 참가했다. 사내 예방 프로그램

INFO
직장에서 하루를 보내고 나면 기진맥진하는 사람들이 점차 늘고 있다. 물론 오늘날의 노동시간은 40년 전보다 훨씬 짧아졌다. 하지만 학자들은 웹 달력이란 새로운 시간 계산법에 대해 이야기하고 있다. 네트망 속에서 일하는 1년은 정상적인 노동 3년에 해당한다는 것이다.

은 건강을 촉진하는 조치들을 확산시키려는 목적을 가지고 있다. 건강한 직원이 더 나은 직원이라는 슬로건에 따르자는 것이다. 지멘스 회사의 이러한 투자가 훌륭한 선택이었음이 벌써부터 조짐을 보이고 있다. 기진맥진 신드롬, 심인성(心因性) 질환들, 갑작스런 청각장애 또는 이명 등이 30대의 직원들 사이에서 나타나기 때문이다. 게다가 심장순환계 질환이 가장 흔한 사인임은 널리 알려진 바다. 매년 약 30만 명이 심장발작을 일으킨다. 남성의 경우 45~55세의 사인 1위가 심장발작이다. 이런 현상은 여성에게서도 점차 나타나고 있다.

새로운 경제 — 마약에 빠진 사회?

이런 상황에서 마약에 사로잡히는 것은 정말 시간문제다. 1960~1970년대 청소년들은 헤로인으로 환각을 즐겼다. 마약이 출세에 도움이 될 수도 있다는 사실을 당시 사용자들은 생각지도 못했다. 하지만 오늘날에는 특히 출세에 눈 먼 사람들이 마약에 약한 것으로 드러나고 있다.

마약 전문가들은 우리 사회가 이미 마약에 절어 있다고 말한다. 그들은 코카인이 새로운 경제의 연료였다고 주장한다. 코카인은 머리를 맑게 해주어 정신이 상쾌해질 뿐 아니라 정상적인 상태라면 도저히 할 수 없는 일까지 성공하게 만들어준다. 코카인은 고속으로 작업

오늘날 많은 사람이 마약을 찾는 이유는 빨라져만 가는 기술의 발전과 보조를 맞추기 위해서랍니다.

해야 하는 곳, 작업동기를 최대한 높여야 하는 곳이라면 어디에나 있다.

새로운 경제시대의 과시용 회사들처럼 스트레스가 엄청나게 많은 직장도 없을 것이다. 짧은 시간 내에 큰돈을 벌려는 희망에서 '점점 더 많이, 그리고 점점 더 빨리'라는 처방을 현수막에 걸어놓았다. 주당 100시간 노동, 밤샘작업 등은 마약을 아침식사로 먹게 한다. 마약 없이는 그런 생활을 계속할 수 없다.

뇌는 마약을 좋아한다

진화의 역사를 통해 인간의 두뇌는 온갖 종류의 마약에 뛰어난 반응을 보이게 되었다. 마약이 체내에 유입되면 신경세포들은 전달물질인 세로토닌을 방출하고 행복감을 전달한다. 감정이입 능력, 행복감, 인지력은 세로토닌 방출을 통해 제어된다. 정상적인 경우에는 세포에서 나오는 전기적 자극이 신경을 통해 세로토닌 생산을 야기한다. 세로토닌은 신경말단에 붙어 있는 아주 작은 주머니에 저장되어 있다. 이 작은 주머니에 자극이 전달되면 세로토닌이 나오게 된다. 이렇게 방출된 세로토닌의 일부는 이웃한 신경의 수용체가 받아들인 후 전기적 자극을 내보낸다. 나머지 세로토닌은 효소가 처리하거나 신경이 다시 받아들인다.

엑스터시와 같은 마약은 신경세포를 자극하여 세로토닌 저장분을 내보내기도 한다. 그러면 신경과 신경 사이의 연결점이 세로토닌으로 넘쳐나서 세로토닌 수용체는 감당하기 어려울 정도가 된다. 또한 어떤 마약들은 세로토닌의 재수용을 막아주어 중요한 장소에서 그 밀도를 추가로 높여준다. 세로토닌이 지나치게 방출되면 신경에 손상을 주어 신경말단이 죽는다. 마약은 행복감을 주는 구성성분 속에 두뇌를 평소보다 오래 머물게 해준다.

끝없는 일 ―초과 근무시간

2000년에, 독일인은 30억 시간을 초과로 근무했으며 그 중 약 3분의 1은 수당도 받지 못했다. 작업능률에 대한 요구가 높아지면서 매니저뿐 아니라 일반 직원들까지 집에 일거리를 가져가고 주말에도 근무와 관련된 준비를 하며 저녁 늦도록 사무실에 남는 현상이 만연해 있다. 하지만 적어도 독일에서는 다음 한 가지 사실은 분명하다. 회사에 다니는 직원이 과도한 초과시간을 근무하고 일요일과 휴일에도 일해야 한다면 고용주는 물론 상사들까지 사법적 처리를 각오해야 한다. 근무시간 위반시 영업감독청은 높은 액수의 벌금을 매길 수 있다. 관청의 경고에도 불구하고 계속 법정 근무시간 규정을 위반하거나 개선의 여지가 없는 회사는 형법에 의거해 검사의 기소를 받을 수 있으며 책임자는 감옥에 갈 수도 있다.

INFO 초과근무를 피할 수 없는 직종이 있다. 하지만 그런 경우에도 초과근무가 일상화되지 않도록 주의해야 한다. 당신의 에너지 창고는 초과근무를 좋아하지 않는다. 달력에 '스스로를 위해 게으름을 피우는 날'들을 남겨두라. 게으름과 한 약속도 직업상의 약속만큼이나 중요하다.

최근에는 초과근무에 시달리거나 해고된 직원 또는 경쟁사들도 근무시간법 위반을 이용하여 자신의 권리와 이익을 지키려 노력하고 있다. 하지만 업체 내 현실과 도저히 부합될 수 없는 법도 있다. 하루에 최대한 일할 수 있는 근무시간이 법적으로 10시간이므로 이 한계를 넘어서 일하면 어떤 경우든 불법이다. 결과적으로 직원들이 10시간 이상 일하도록 방치하는 회사의 상사들은 법을 어긴 범죄인이 된다. 한편 통상적인 하루 8시간의 근무시간을 10시간으로 늘리고 그 대신 주어져야 할 여가시간을 빠른 시일 내에 허용하지 않아도 법률위반이다.

부담이 너무 커질 때

직장에서 일할 때 가장 큰 부담은 심리적 스트레스다. 근로자의 44%는 과도한 책임을 매우 큰 부담으로 느끼고 있으며, 세 명 중의 두 명은 시간적 압력을 가장 큰 스트레스라고 말한다. 이는 독일 노르트라인 베스트팔렌 주의 노동복지청이 전문회사를 통해 근로자 2,000명을 대상으로 설문 조사한 결과다.

영혼이 일에 시달리면 육체도 곧 파업에 들어간다. 근로자 두 명 중 한 명이 요통을 호소하고 있으며 세 명 중 한 명이 두통, 만성적 피로, 폭발적인 분노에 시달린다고 한다. 네 명 중 한 명은 낮에는 의

욕부진, 밤에는 불면증에 괴로워한다. 이런 증상들을 스포츠와 휴식으로 극복하지 않으면 소위 번 아웃 신드롬(Burn-out-Syndrom)이 찾아온다. 그렇게 되면 인격의 변화, 불안, 우울증 장애까지 생길 수 있다.

이때 가장 좋은 약은 예방이다. 의사들은 제때에 '아니오'라고 말하는 방법을 배우고 사생활을 가꾸는 긴장완화법을 추천한다. 직원의 병가로 많은 돈을 손해보는 회사에는 건강한 직장 분위기를 가꿀것을 권한다. 직원의 작업의욕만 자극할 것이 아니라 직원의 가치를올바로 평가하고 지도력을 키울 만한 가능성을 찾아보아야 한다. 법률회사와 컨설팅 업체는 근무시간이 극단적으로 긴 경우가 매우 흔한데, 최근에는 새로운 근무 모델을 도입하고 있다. 즉 연중 9개월은정상으로 근무하고 3개월은 휴가를 갖는 것이다.

작업능률에 대한 요구를 초과근무로 대처하는 것은 장기적으로 볼때 올바른 방법이 아니다. 자율적으로 일할 수 있는 사람은 자신의시간을 자율적으로 분배하는 방법도 배워야 한다. 어떤 정부, 어떤상사도 직원이 자신의 일과 출세를 위해 얼마만큼의 시간을 투자해야 하는지, 인내의 한계가 어디까지인지를 대신 결정해주지 못한다.이 점에 있어서는 누구나 자신의 한계를 스스로 알아내야 한다. 직장에서도 출세를 하려면 '나'라는 자원을 지속적으로 아껴가며 써야 한다. '나'라는 자원 역시 한계가 있기 때문이다.

일을 할 때도 한계상황을 넘지 말아야 해요.
정기적인 휴식만이 오늘날 같은 초고속 시스템을 유지시켜 줄 수 있거든요.

'안식년'이 해결책인가?

독일인의 72%가 작전 타임, 즉 스트레스와 초과근무에서 벗어나 전화벨 소리도 들리지 않고 이메일도 오지 않는 시간을 원하고 있다. 그리고 점차 많은 회사가 그런 소망을 실현시킬 가능성을 직원들에게 허용하며 경제적인 해결책까지 마련하고 있다. 즉 그들은 소위 시간계좌를 도입하여 초과근무 시간을 저축한 다음 장기휴가로 사용할 수 있게 했다. 또한 7년간은 월급의 7분의 6을 받고 7년째에는 일을 하지 않고도 계속 월급을 받는 '안식년 제도'도 실시하고 있다.

경제계 일반으로 볼 때 안식년 제도를 허용하는 회사는 전체의 10%에도 미치지 못한다. 하지만 BMW 또는 휴렛 패커드와 같은 대기업, 소프트웨어 재벌인 SAP, 지멘스, 독일 은행은 안식년 제도의 도입을 계획 중이다. 이 제도의 선구자는 공공부문이다. 독일의 거의 모든 연방주에서 교사와 공무원은 안식년을 취할 권리를 가진다. 하지만 이 제도의 이용률은 매우 낮은 편이다. 아마도 주위 사람들의 반응에 대한 불안 때문에 안식년 제도를 꺼리는 듯하다. 안식년 제도를 선택하면 게으르거나 일하기 싫어하는 사람으로 간주될 위험성이 있기 때문이다. 하지만 일상적인 직업활동을 떠나 작전 타임을 갖는 것을 일하기 싫어한다거나 불만이 있다는 뜻으로 해석하는 것은 조급한 단견이자 명백한 오류다.

독일 보훔 대학의 연구에 따르면 오히려 정반대의 경우가 많다. 안식년 제도를 선택한 교사들은 자신의 직업에 대한 자부심이 매우 높은 것으로 나타났다. 1년간 직업활동에서 벗어난다는 결정은 직업의 부담으로부터 도망간다는 것과는 아무런 관계가 없다.

많은 사람이 탈출을 꿈꾸고 있다. 심리학자들은 그것을 오늘날의 직업세계가 부과하는 엄청난 압력을 감당하기 위한 심리적 수단으로 해석한다. 동료, 직원들과 안식년 제도에 관해 이야기해 보라. 아무런 준비가 없어도 안식년 동안 무엇을 할 것인지 충분히 이야기할 수 있을 것이다. 몇 년씩 높은 능률을 보이며 일한 사람은 —소진되지 않기 위해서— 더더욱 휴식이 필요하다. 기업 컨설턴트도 일종의 작전 타임이 최고의 인재를 보유하기 위한 수단이라고 조언하고 있다. 안식년 제도를 이용했던 사람들의 경험에 따르면 안식년은 일상을 새롭게 조직하고 문제를 해결할 수 있는 힘을 준다고 한다.

몇 달 또는 1년 내내 직장을 떠나 스스로를 돌이켜보며 푹 쉬어보라. 스트레스가 심한 경영인이나 회사의 사장들은 점차 그런 여유를 받아들이고 있다.

제4장

게으름의 생물학적 법칙

생물학적 이기주의자가 되라

현대의 취업세계에서 살아남으려면 자신의 생체 프로그램에 관해 알아야 한다. 하지만 오늘날의 취업세계에서 생물학적 게으름을 실행하기 어렵다는 것은 의심의 여지가 없다. 능률에 관한 요구와 개인적인 명예욕이 너무 커서 생물학적 욕구를 위한 공간은 찾아보기 어렵다. 그럼에도 불구하고 생물학적 이기주의를 실천할 용기를 낸다면 반드시 보답받게 될 것이며 보다 건강한 삶, 그리고 궁극적으로는 보다 행복한 삶을 누리게 될 것이다.

자신의 본성이 건네는 소리를 듣는 것이 얼마나 어려운지 강연을 하거나 세미나를 개최할 때마다 체험하게 된다. 하지만 조금만 사려 깊게 행동하면 여기서도 해결책을 찾을 수 있다. 가장 중요한 것은 생명 에너지의 비밀을 늘 떠올리는 것이다. 일단 평생 써야 할 생명 에너지가 들어 있는 배낭을 생각해보라. 그러면 어쩔 수 없이 좀더 의식적으로 살기 시작한다. 하지만 에너지 절약이 악어나 거북의 경우처럼 절약을 위한 절약이 되어서는 안 된다. 오히려 그 반대가 옳다. 삶을 즐기면 에너지는 (거의) 저절로 절약하게 된다.

이렇게 하루를 시작하면 좋다

서두르지 말고 느긋하게 하루를 시작하라. 당신의 유기체는 잠자는 동안 최상의 상태로 이완되었으므로 '가동률'을 조심스럽게 높여야 한다. 아침부터 지나치게 서두르면 그 결과는 하루 종일 느낄 수 있다. 잠깐 시간을 내어 창문을 열어놓고 몇 차례 스트레칭, 맨손체조를 하라. '요가의 태양예배 체조'(84쪽 이하 참고)를 해보는 것도 아주 좋다. 욕실에서 기분을 상쾌하게 해주는 '몸가꾸기 의식'을 발전시켜 나가도록 하라. 많은 사람이 아로마 샤워의 효과를 강조하고 있다. 기분을 좋게 해주는 아로마 샤워젤로 매일 아침을 즐겁게 만들어보라. 아침의 명상은 특히 효과적이다. 명상은 마음을 안정시키고 힘을 키워준다.

올바른 아침식사

아침식사는 하루 중 가장 중요한 식사다. 올바른 아침식사는 최적의 상태로 하루를 시작하도록 해준다. 밤새 쉬는 동안 혈당은 극적으로 저하된다. 그래서 아침이면 기운 없이 축 늘어지는 것이다. 그러므로 에너지 저장분을 다시 채울 필요가 있다. 에너지와 활력소에 이상이 없어야만 능률곡선도 비약할 수 있고 컨디션도 좋아진다.

INFO

유명한 참선교사가 강력한 내면의 힘을 갖게 된 비결을 알려준 적이 있다. 매일 아침 한 시간의 명상이 그 비결이었다. 명상을 할 때는 조용히 앉아 생각이 떠올랐다 사라지는 대로 그대로 둔다. 이따금은 평화, 힘 같은 말이나 화두에 정신을 집중하기도 한다. 그의 말에 따르면 아침명상에 투자한 한 시간은 좋은 성과를 낳아서 그날 할 일을 별 수고 없이 해치울 수 있다고 한다.

아침식사는 15~20분의 시간을 내서 느긋하게 즐기며 현미, 통밀 등 섬유질이 풍부한 음식을 먹는다. 신선한 과일이나 과일 주스, 저지방 유제품(요구르트, 크림치즈)도 매일 아침식사에서 빼놓지 말아야 한다. 아침식사 준비를 저녁에 미리 해둔다면 아침에는 간단히 상을 차릴 수 있을 것이다.

아침체조로 상쾌하게

잠깐 아침체조를 하여 밤새 잠자는 동안 이완된 근육을 활성화하거나 힘줄을 늘여 혈액순환을 좋게 한다. 스트레칭은 침대에 누운 채로 시작하되 충분히 한다. 그 다음 창문을 열고 몇 차례 호흡연습을 한다. 자신에게 맞는 체조를 몇 가지 준비하여 반복하는 것이 좋다.

'요가의 태양예배 체조'는 일련의 스트레칭과 호흡 연습이다. 몸 전체를 활성화해주며 잠을 깨우거나 느긋하게 만들어주고 노화현상도 막아준다. 이어서 신체 마사지용 브러시나 손장갑을 끼고 몸을 문질러주면 상쾌한 기분이 들 것이다.

요가의 태양예배 체조

요가체조는 우선 인내심과 운동성을 길러준다. 요가체조는 유기체 전체를 활성화해주며 혈액순환을 돕고 호흡과 소화를 촉진할 뿐만 아니라 한 걸음 더 나아가 호르몬 대사와 면역 시스템을 자극한다. 태양기도 또는 태양인사는 아침식사 전에 하는 것이 가장 좋다. 얼마나 힘찬 하루를 시작하고 보낼 수 있는지 놀라게 될 것이다.

가능하다면 해가 떠오르는 방향으로 창문을 열어두고 다음과 같이 체조를 해본다. 처음에는 1~4번까지 하고 점차 12번까지 늘려간다. 시간은 20~30분 걸린다. 체조를 할 때는 호흡 리듬에 주의를 기울인다.

1. 숨을 내쉬며 두 다리를 붙이고 똑바로 선다. 손바닥을 서로 붙인 채 가슴 앞에 모은다.
2. 숨을 들이쉬면서 엄지손가락끼리 서로 마주하고 팔을 들어올려 편다. 머리 위로 두 팔을 천천히 들어올리면서 눈으로 손을 바라본다. 몸을 펴줄 때 엉덩이 쪽을 약간 구부리면서 몸을 뒤로 젖힌다.
3. 숨을 내쉬면서 허리를 천천히 앞으로 굽히고 무릎을 편 채 손바닥을 바닥에 댄다.
4. 숨을 들이쉬면서 오른쪽 무릎을 굽히며 두 손바닥을 오른발과 나란히 놓는다. 왼쪽 다리를 뒤로 뻗은 상태에서 왼쪽 무릎이 바닥에 닿게 한다. 이때 오른쪽 무릎은 가슴에 닿도록 하고 머리를 쳐들어 위를 바라본다.
5. 숨을 내쉬면서 두 손을 그대로 둔 채 오른쪽 다리를 뻗어 두 발

삶에 변화를 주세요. 권태와 단조로움은 가득 찬 스케줄만큼이나 스트레스 요인으로 작용할 수 있답니다.

이 서로 맞닿도록 하고 엉덩이를 위로 들어올려서 몸이 삼각형이 되도록 한다. 두 발의 뒤꿈치를 바닥에 닿도록 하고 눈은 발 쪽을 바라본다.

6. 숨을 들이쉬면서 무릎과 가슴, 턱이 차례로 바닥에 닿도록 낮추고 엉덩이는 약간 위로 들어올린다. 손바닥은 어깨 밑에 두고 팔꿈치는 몸에 바짝 붙여 위로 향하게 한다.

7. 엉덩이를 바닥 쪽으로 낮추면서 숨을 들이마신다. 머리, 목, 가슴을 차례로 뻗어 올린다. 팔꿈치를 약간 몸 쪽으로 굽힌다.

8. 숨을 내쉬면서 손바닥을 바닥에 밀착시키고 엉덩이를 위로 들어올려 몸이 삼각형이 되도록 한다. (동작 5와 같은 자세)

9. 숨을 들이쉬면서 왼발을 두 손 사이에 두고 왼쪽 무릎은 가슴에 닿도록 한다. 오른쪽 다리는 뒤로 뻗는다. (오른발과 왼발의 위치가 바뀌고 동작 4와 같은 자세)

10. 숨을 내쉬면서 오른쪽 다리를 왼쪽 다리와 가지런히 한 후 두 무릎을 뻗은 채 몸을 앞으로 숙인다. 편안함을 느끼는 범위 안에서 가능한 한 많이 숙인다. (동작 3과 같은 자세)

11. 숨을 들이쉬면서 팔을 들어올려 뒤로 뻗친다. (동작 2와 같은 자세)

12. 숨을 내쉬면서 두 손바닥이 가슴 앞에 맞닿도록 하고 천천히 이완한다. (동작 1과 같은 자세)

INFO

밤새 쉬면서 이완된 상태를 낮에도 유지하도록 한다. 출근길부터 휴대전화로 일을 시작하지 않도록 주의한다. 출근길의 일부분은 걸어서 가거나 자전거를 타도록 한다. 신진대사의 속도를 늦춰서 에너지 소비를 억제하기에 가장 좋은 수단은 운동이다.

호흡이 정리되면 다시 반복한다. 이렇게 간단한 운동만으로도 몸이 상당히 뜨거워질 것이다. 끝으로 눈을 감고 잠깐 쉬면서 몸을 이완한다.

스트레스와 싸운다

스트레스를 덜 받으며 살 수 있는 일반적이고 보편적인 규칙은 없다. 스트레스 자극에 반응하는 모습은 사람마다 다르지만 나름대로 긴장을 푸는 이완 프로그램을 가지고 있다. 다음 힌트들은 스트레스와 관련하여 삶을 새롭게 생각하도록 해줄 것이다.

- 어떤 요인이 당신에게 특히 부담을 주는지 점검하고 그 요인을 없앨 수 있는 방안을 생각해보라. 스케줄이 너무 빽빽하거나 전혀 마음에 들지 않는 운동을 하는 것은 아닌가? 혹시 당신에게 어울리지 않는 직업을 가지고 있는 것은 아닌가? 삶의 모든 지표를 늘 최적화할 필요는 없지만 조금만 사려 깊게 생각하면 일상을 좀더 가볍게 만들 방법을 찾아낼 수 있을 것이다.
- 마음의 자세에 따라 같은 일도 스트레스로 느낄 수 있는가 하면 대수롭지 않게 넘어갈 수도 있다. 예를 들어 할일이 너무 많으면 해야 할 일들이 산더미처럼 보이면서 도저히 해결할 수 없을 것같이 생각된다. 하지만 일을 조금씩 조금씩 처리할 수

있도록 작은 단위로 분할해서 생각할 수도 있다. 사람들이 당신의 능력을 필요로 한다는 것을 기쁘게 생각하고(시간이 얼마나 걸리건 간에) 일을 끝마친 후 누리게 될 기분 좋은 대가를 생각하라.

- 지속적인 두통, 수면장애, 불쾌감, 요통 등 스트레스 장애에 이미 시달리고 있다면 이를 경고신호로 받아들이고 스트레스 요인을 제거할 만한 방법을 본격적으로 점검하라.

- 일과 여가에 너무 욕심을 내어 시달리지 않도록 하라. 일상에 숨을 돌릴 수 있는 휴식시간을 정기적으로 갖도록 계획하라. 예를 들어 긴장을 풀어주는 체조, 감각을 자극하는 산책도 좋고 아무것도 하지 않은 채 푹 쉬는 것도 좋다. 다정한 친구들과 만나는 등 사교적인 생활, 취미생활을 즐기도록 하라. 그러면 스트레스 자극에 면역력을 키워줄 행복감이 생겨날 것이다.

- 가장 힘든 일을 마치고 난 뒤 가장 빨리 균형을 회복시켜 주는 것이 무엇인지 알아내라. 그리고 나서 같은 조치를 일관성 있게 취하라. 그것은 기분 좋은 아로마 목욕일 수도 있고 긴장을 풀어주는 마사지일 수도 있으며 피부미용 프로그램 또는 영화나 연극 감상일 수도 있다.

- 정기적으로 운동을 하라. 지속적으로 하는 적절한 양의 운동은 스트레스에 대한 저항력을 키워줄 수 있는 최선의 방법이다.

- 스킨십과 애무를 즐기라. 다정한 피부접촉은 옥시토신 호르몬

을 방출시킨다. 이 호르몬은 기분 좋은 행복감, 깊은 만족감을 생산하여 스트레스로부터 영혼을 지켜준다. 사랑하는 이의 품에 안겨 있을 때 스트레스가 뚝뚝 떨어져 나가는 것을 생생하게 느낄 수 있을 것이다.

논스톱 스트레스는 피하라

자연의 모든 과정은 —눈에 띄는 정도의 차이만 다를 뿐— 리듬을 갖고 있다. 가장 눈에 띄는 것은 밝음과 어둠 사이의 상호관계. 식물은 리드미컬하게 몸을 열고 닫으며 동물도 분명한 리듬에 따라 활동한다. 예전에 인공조명이 없었을 때는 인간도 자연의 박자에 따라 살았다. 어두워지면 잠을 잤고 환해지면 일어났다. 계절의 변화도 자연과 인간에 영향을 미친다. 어두운 계절인 겨울에는 자연이 쉬면서 힘을 모은다. 봄이 되면 자연이 잠에서 깨어나 전면적으로 활동하며 새로운 삶을 시작한다.

자연스런 리듬에 따른 삶

자연스러운 리듬에 따라 살라! 그것이 어떤 삶인지는 자연을 보면 알 수 있다. 모든 동물과 식물은 계절에 따라 다른 반응을 보인다. 여름에는 에너지 원인 열과 양분이 무제한으로 증식하지만 겨울이 되면 줄어들거나 완전히 사라지기 때문이다. 겨울이 되면 거의 모든 식물이 죽는데 그 영향은 채식동물에서 그치지 않는다. 곰부터 꿀벌까지 겨울에는 필요한 영양의 극히 일부분만을 취한다. 그래서 몇 가지 독창적인 우회전략까지 생겨났다. 예를 들어 철새들은 불친절하고 추운 지역을 떠나 햇볕이 따스한 남쪽에서 겨울을 나고 돌아온다.

우리도 철새를 모방할 수 있다. 그럴 만한 여유가 있는 사람은 추운 계절이 오면 휴가를 얻어 햇볕이 따뜻한 남쪽나라에서 온기와 빛을 저장하는 것이 좋다. 그러한 여행은 추운 계절이 시작할 무렵이나 끝날 무렵에 하는 것이 좋다. 그러면 고향과 여행지 간의 온도차가 그리 크지 않기 때문이다.

또 다른 방법도 있다. 어떤 동물들은 겨울잠을 잠으로써 체온과 에너지 수요를 낮춘다. 고슴도치나 박쥐, 곰 등의 포유류 동물은 얼지 않는 장소를 찾아내어 꼼짝도 않고 겨울잠을 잔다. 이때 체온과 신진대사는 급격히 하강한다. 매일의 에너지 소비는 정상적인 때의 극히 일부분으로 줄어들며 체온은 섭씨 0도에 근접한다.

정상적인 수면상태에서도 체온은 약간 떨어진다. 인간은 겨울잠을

겨울잠은 특별한 생물학적 상태지만 신체기능의 변화라는 측면에서 볼 때 정상적인 수면과 근본적인 차이가 없죠.

잘 수 없지만 추운 계절에는 겨울잠의 원칙을 취할 수 있다. 즉 평소보다 충분히 자는 것이다. 자연의 리듬에 따라 사는 사람은 날이 어두워지면 몸이 피곤해지는 것을 느낄 것이다. 사람은 그렇게 다가오는 수면신호를 커피를 많이 마시거나 아주 밝은 곳에 있으면서 무시할 수 있다. 하지만 긴 겨울밤을 이용하여 충분히 자는 사람은 자연조건과 싸우며 인위적으로 깨어 있는 사람보다 추위나 어둠의 영향을 훨씬 덜 받는다.

점심식사 후 휴식

저녁이면 자주 기진맥진해지는가? 일 때문에 스트레스를 받으니 놀라운 일도 아니라고 생각하는가? 그럼에도 불구하고 점심식사 후 휴식시간을 갖지 않는다면 귀중한 에너지의 샘을 강도에게 그냥 내주는 것과 다름없다. 유감스럽게도 오늘날 현대적인 사무실의 일상에서 이는 드문 일도 아니다. 베를린 쾰른 의료보험의 용역으로 엠니드 여론조사연구소가 밝혀낸 바는 다음과 같다. 독일의 사무직 피고용인의 3분의 1 이상이 일주일 내내 하루 종일 쉬지 않고 일을 한다. 설문조사에 응한 77%는 그 주된 이유가 할일이 너무 많아서라고 답했다. 남성 사무직의 경우에는 쉬지 않고 일하는 사람들이 39.1%로, 27.9%인 여성보다 뚜렷이 높은 비율을 보였다.

이 조사의 또 다른 결과는 다음과 같다. 순수입이 높을수록 쉬

지칠 때까지 쉬지 않고 일하는 사람은 몸이 금세 마모되고 스트레스 질환에 걸릴 위험을 감수해야 한답니다.

지 않고 일하는 비율도 높았다. 이러한 사실들은 전문가에게 일종의 '경고'인 셈이다. 피로회복 효과가 큰 점심식사 후의 휴식은 성공적인 취업생활의 열쇠이자 건강과 능률을 유지하기 위해 반드시 필요하기 때문이다.

어떤 일을 하든지, 즉 자영업을 하든지 피고용인으로 직장생활을 하든지 점심식사 후에는 반드시 휴식시간을 갖고 동료에게도 그렇게 권하라. 점심식사는 영양분이 풍부하되 가벼운 음식을 먹도록 한다. 햄버거나 감자튀김으로 때워서는 안 된다. 점심시간을 관청에 가는 일로 허비하거나 저녁식사 준비하는 시간을 쇼핑하는 것으로 보내지 말라. 길든 짧든 점심시간은 온전히 당신과 당신의 몸을 위해 있는 것이다.

점심시간을 이용하여 약간 움직이는 것이 좋다. 밖으로 나가 거리를 한 바퀴 산책하면 빛과 산소를 저장할 수 있다. 가벼운 운동은 새로운 힘을 얻고 근육을 이완시킨다. 빛이 적은 계절에는 점심시간이야말로 사무실에서 일하는 사람들이 조금이라도 태양 빛을 즐길 수 있는 유일한 기회다. 아무튼 책상에서 일어나라. 그러지 않으면 아무리 쉰다 해도 쉬지 않고 하루 종일 삽질이라도 한 것처럼 기진맥진할 것이다. 점심시간을 이용하여 동료들과 가까워지도록 한다. 반드시 일에 대한 이야기일 필요는 없다. 그냥 긴장을 풀 수 있으면 그것으로 충분하다. 함께 점심식사를 즐기는 것도 혼자 먹는 것보다 훨씬 좋다. 사람들과 이야기를 나누고 웃으며 즐기도록 하라. 그렇게 기운을 회복했으면 상쾌한 기분으로 나머지 반나절을 일하라.

낮잠

유감스럽게도 오래 전에 고인이 되신 게르하르트 브라우니처 교수는 인간 생물학 분야에서 뛰어난 업적을 남겼으며 생물학의 법칙도 모범적으로 실천에 옮기신 분이다. 그분은 점심식사를 마친 뒤에는 늘 낮잠용으로 따로 준비해둔 작은 방으로 들어가 누구의 방해도 받지 않았다. 나중에 그분이 들려준 바에 의하면 약 20분 정도 그곳에서 낮잠을 주무셨다고 한다. 그분이 60세가 넘는 나이에도 늘 건강하고 활력 넘치는 삶을 살았으며 수많은 박사를 제자로 두셨던 것도 놀라운 일이 아닌 것이다.

점심때쯤 완전한 휴식이 그립거나 눈이 저절로 감기지 않는가? 잠깐 낮잠을 자고 싶지 않은가? 그렇다면 당신은 훌륭한 경영인이나 학자, 정치가들과 공통점을 가지고 있다. 전체적으로 살펴볼 때 독일인 다섯 명 가운데 한 사람은 거의 정기적으로 낮잠을 잔다. 하지만 그 사실을 솔직히 밝히는 경우는 많지 않은데, 낮잠이 사회적으로 좋은 평판을 누리지 못하기 때문이다. 대부분의 사람은 낮잠을 허약함,

낮잠을 자는 사람들은 결코 희귀한 소수족이 아니랍니다. 독일인도 다섯 명 가운데 한 명이 낮잠을 자거든요. 다만 잠꾸러기로 놀림을 당할까봐 숨기고 있을 뿐이죠.

질병, 노화와 연결지어 생각한다.

따뜻한 남쪽나라 사람들은 그렇게까지 낮잠에 거부감을 가지고 있지는 않다. 그들에게 '시에스타'란 즐거움과 피로회복 그 자체를 의미한다. 남부 유럽의 나라에서 시에스타는 대개 정상적인 일상생활의 일부다. 예를 들어 이탈리아 노동자는 오후에 낮잠을 잘 권리가 민법으로 보장되어 있는데, 이는 결국 여러 시간에 걸친 점심시간을 전제로 한다. 특히 적도에 가까운 지방에서는 많은 사람이 낮잠을 잔다. 예를 들어 멕시코, 에콰도르, 나이지리아에서는 성인 세 명 중 두 명은 점심시간에 낮잠을 자기 위해 자리에 눕는다. 전통적인 중국 한의학에 따르면 낮잠은 나이 든 사람의 건강유지에 적당한 수단이라고 한다.

독일에서는 낮잠에 대한 여론이 특히 나쁘지만 그래도 유명한 팬들이 수없이 많다. 독일 연방공화국의 초대 수상인 콘라드 아데나우어는 정기적으로 낮잠을 잔다고 고백했다. 전 수상 헬무트 콜도 이점에서 콘라드 아데나우어를 모방했는데, 그는 낮잠의 예술을 공공연히 자랑하기까지 했다. 오랜 세월 독일 외무부장관을 지낸 디트리히 겐셔는 프랑스 대통령 자크 시라크, 전 영국 수상 마거릿 대처 등 유럽의 동시대 정치가들과 마찬가지로 낮잠을 칭송했다. 전설적인 영국의 수상 윈스턴 처칠은 낮잠에 관한 글까지 남겼다.

어린이와 노인, 그리고 대학생과 실업자는 대부분 낮잠을 잔다. 직장에 다니는 사람들은 기회가 없어서 낮잠을 자지 못하지만 그렇다고 해서 낮잠을 자고 싶다는 욕구까지 없는 것은 아니다. 더 이상 직장생활을 하지 않는 60세 이상의 사람들은 3분의 2 이상이 낮잠을 잔다.

"사람은 점심식사와 저녁식사 사이에 잠을 자야 한다. 낮잠을 자면 일을 적게 한다는 생각은 절대 하지 말라. 그건 상상력이 없는 사람들의 어리석은 생각이다. 낮잠을 자면 오히려 더 많은 일을 할 수 있다. 하루에 이틀 —그래 좋다— 적어도 하루 반을 살기 때문이다. 그건 분명하다."

낮잠을 자고 난 사람은 그렇지 않은 사람보다 일을 할 때 반응속도가 빠르고 주의력과 집중력도 높으며 기분도 한결 좋아진다는 사실이 밝혀졌다. 그것도 지속적으로 말이다. 야간 근무시간이 시작되기 직전에 자는 초저녁 잠도 마찬가지 효과가 있다. 초저녁 잠을 자고 나서 야간 근무를 하는 사람들은 실수가 적고 생산성도 높다. 또한 낮잠은 기억력 향상에도 도움이 된다. 오스트레일리아의 한 학자는 사람들에게 무의미한 철자 리스트를 외우게 했다. 그리고 그 중 일부는 잠깐 잠을 자도록 했다. 그 결과 잠을 잔 사람들은 잠을 자지 않은 사람들보다 나중에 외운 내용을 더 잘 기억한다는 실험결과가 나왔다.

피로를 회복시켜 주는 낮잠규칙

낮잠을 자면 생명 에너지와 힘이 빨리 새어나가지 않는다. 시간과 기회가 있을 때마다 낮잠을 자도록 하라. 낮에 잠깐 잠자는 것도 기술이어서 학습이 필요하다.

– 낮잠을 자기에 가장 좋은 시간은 이른 오후, 생물학적으로 최저의 컨디션일 때다. 그때쯤이면 눈이 기록적으로 빨리 감기는 것을 알게 될 것이다. 특히 전날 밤 잠을 적게 잤다면 말이다.

– 대부분의 사람은 낮잠을 자고 나서도 약간 잠에 취한 상태가 되어버린다. 낮잠에서 깨어난 뒤 약 15분까지는 기분이 나쁘고 반응도 느리며 집중력이나 기억력에 문제가 있을 수 있다. 이는 무엇보다도 얼마나 오랫동안 낮잠을 잤는가와 관계가 있다. 낮잠을 10~30분만 잔다면 그런 일은 거의 나타나지 않는다.

– 근본적으로 유효한 규칙 : 낮잠을 자고 나서 '깨어나는 시간'을 갖도록 한다. 그 시간은 몇 분에 불과할 뿐이다. 정기적으로 낮잠을 자는 사람은 몸이 낮잠에 익숙해지는 것을 알 수 있다. 즉 체온이 약간 내려가서 말 그대로 쿨(cool)해지며 20분쯤 지나면 자동으로 다시 깨어난다.

저녁식사

저녁식사는 온 가족이 함께 하는 유일한 식사시간이다. 또한 대부분 느긋하게 시간을 내서 즐길 수 있는 유일한 식사시간이기도 하다. 우리는 이러한 저녁식사 시간을 정기적으로 가져야 한다. 가족이나 친구들과 함께 나누는 맛있는 음식은 즐거움이자 행복 그 자체로, 몸과 마음을 살찌우며 능력을 유지시켜 준다.

날씨에 상관없이 밖으로 나가도록 하세요.
그러면 면역력이 커지고 날씨변화에도 커다란 영향을 받지 않게 될 거예요.

훌륭한 저녁식사는 소화에도 좋고 하루의 영양상태에 균형을 이룬다. 점심식사로 샌드위치나 샐러드를 먹은 사람은 저녁에는 따뜻한 음식을 즐기는 편이 좋다. 반대로 점심에 따뜻한 식사를 먹었다면 저녁에는 샌드위치나 간단한 음식만으로 충분하다. 낮 동안에는 과일과 야채의 섭취가 부족하기 쉬우므로 저녁에는 신선한 샐러드를 먹는 것이 적절하다. 일반적으로 탄수화물이 풍부한 밥이나 국수, 감자는 마음을 안정시키는 효과가 있고 피로를 회복시켜 주는 수면을 보장하므로 저녁식사로 좋다. 충분한 시간을 가지고 맛있는 음식을 즐기도록 하라.

저녁식사 전에 약간의 운동을 하는 것이 좋다. 예를 들어 몇 차례 달리거나 자전거 타기, 수영 또는 산책을 한다면 낮 동안의 스트레스가 물러가면서 긴장이 풀리는 것을 느낄 수 있다. 또한 호흡이 느려지고 머리가 가벼워지며 긴장이 풀리면서 잠도 더 잘 잘 수 있다.

살아남는 데 도움이 되는 타고난 본능

누구에게나 충족시켜야 할 생물학적 기본욕구가 있다. 살아남기 위해 타고난 이 생존 메커니즘들을 무시하면 장기적으로 볼 때 늘 피해가 뒤따른다.

한 가지 힌트 : 낮잠 전에 커피를 한 잔 마셔보라. 카페인의 효과는 30분쯤 지나서 나타나므로 낮잠 후 제때에 깨도록 일종의 생물학적 자명종을 맞춰놓은 셈이 된다. 이 방법을 쓰면 잠에 취한 상태에 빠지는 것도 막을 수 있다.

- 잠자기
- 먹기
- 운동하기
- 사랑하기

　우리가 살면서 이러한 욕구들을 충족시키도록 자연은 이들 욕구에 매우 긍정적인 감정들을 연결시켰다. 물론 그 감정들은 뇌에서 발생한다.

- 건강한 잠을 충분히 자고 나면 세상에 다시 태어난 것 같은 느낌이 든다. 왜냐하면 이른 아침 시간에는 행복 호르몬 DHEA(Dehydro-epiandrosterone)의 수치가 올라가서 뇌가 신선하고 활기차기 때문이다. 행복 호르몬은 밤에 잠자면서 피로를 회복할 수 있도록 해준다.
- 훌륭한 식사를 하고 나면 만족감을 느낀다. 뇌 안에서 방출되는 세로토닌이 기분 좋은 포만감을 전달해주기 때문이다.
- 힘들여 운동을 하면 일종의 환각상태에 돌입한다. 엔도르핀이 뇌를 감싸면서 기분이 좋아지는 것이다.
- 충족감을 주는 섹스 또는 파트너와 나누는 애무는 사람이 느낄 수 있는 가장 아름다운 감정이기도 하다. 이때 뇌에서는 쾌락 호르몬의 불꽃놀이가 벌어진다. 스트레스 호르몬과 성 호르몬,

갑상선 호르몬과 옥시토신이 적절히 혼합되면서 온몸이 믿을 수 없을 정도로 행복한 상태에 빠진다.

이러한 바이오 프로그램들이야말로 인간을 개체로서 또는 유(類)로서 살아남을 수 있게 해주는 안전조치다. 이 프로그램들은 매우 자연스러운 인간의 생물학에 따른다. 그러나 현대의 일상생활은 더 이상 자연의 자극에 반응할 여지가 (거의) 없을 뿐 아니라 자연스런 욕구들이 오히려 무시되곤 한다. 특히 많은 사람이 수면을 절약하고 있다. 식사시간에도 텔레비전을 보며 패스트푸드를 먹는다. 식사의 사회적 요소가 완전히 사라지고 만 것이다. 또 운동을 할 시간도 거의 없다. 우리의 일상은 점점 더 운동량이 줄어들고 있다. 일과 스트레스, 그리고 갈등의 연속인 생활에서 인간적 교류를 느낄 만한 성생활은 찾아보기 어렵다.

이런 생활이 과연 추구할 만한 가치가 있는 삶일까? 생리학적으로 그렇게 축소된 삶이 무슨 재미가 있을까? 그것은 무미건조한 삶일 뿐이다. 생물학적 레퍼토리를 처음부터 끝까지 맛보는 충만된 삶이 생물학적 골목길을 가는 인생보다 훨씬 흥겹고 에너지도 절약된다. 그러므로 지금 당장 '생물학적 이기주의자'가 되어 당신의 욕구를 충분히 만족시키는 삶을 살도록 하라. 용기를 내어 당신의 몸과 마음이 필요로 하는 것을 위해 살아보라. 그러면 생물학적 게으름의 축복을

우리 몸도 기계와 비슷하다. 사용설명서에 따라 사용하면 오랫동안 제 기능을 완수하지만 원래의 본성을 거스르며 일방적으로 사용한다면 곧 손상을 입고 고장이 난다.

받을 것이다.

잠은 젊음의 샘

인간은 생의 3분의 1을 자면서 보낸다. 하지만 이 시간은 훌륭한 투자다. 잠은 모든 유기체에 자연스럽게 프로그램되어 있는 재생단계로, 이때 몸은 다시 기운을 차린다. 잠은 유기체가 피로를 회복할 수 있는 가장 훌륭한 수단이다. 밤새 잠을 자면서 우리는 다음날을 위한 힘과 에너지를 공급받고 전날에 입은 손상을 재생시킨다. 잠자는 동안 세포가 수리되고 치료과정이 진행되며 기관과 세포는 연료를 공급받고 늙은 세포는 새로운 세포로 대치된다. 한 걸음 더 나아가 건강의 수문장 격인 면역 시스템이 다시 방어태세를 갖추고 작동 준비를 한다. 잠은 뇌와 영혼을 위한 오아시스로, 두 날을 잇는 널찍하고 무의식적인 끈으로 간격을 만들어준다. 충분한 수면은 몸과 정신을 민첩하게 하며 때 이른 마모현상도 막아준다. 회복력이 있는 수면을 취하고 나면 기분이 상쾌하고 명랑해지며 외부로도 그렇게 보인다. 피부도 매끈해지고 장밋빛이 돌며 신경도 안정되고 질병증상들도 개선된다.

밤에 잠자는 동안 깊은 잠과 꿈이 교차한다. 깊은 잠을 잘 때는 신체의 재생이 매우 집중적으로 이루어지며 두뇌가 안정을 취한다. 반

젊어지려면 잠을 자야 해요.
잘 자는 것이 생명 에너지를 잃지 않도록 막아주는 가장 좋은 수단이죠.

면에 꿈을 꿀 때는 두뇌가 완전히 깨어 있는 상태로, 낮 동안 입력된 자극들을 때로는 아주 기괴한 형태로 가공한다. 이 형태들은 생명에 매우 중요하다. 예를 들어 수면제 복용 등을 통해 꿈을 없애면 수면의 자연스런 회복기능이 방해를 받는다. 꿈과 깊은 잠이 교차하는 형태의 잠만이 회복력이 있어 다음날을 위한 에너지를 선사해준다.

밤잠의 형태는 다양한 호르몬에 의해 제어되는데, 특히 송과선(골윗샘)에서 나오는 멜라토닌과 부신에서 나오는 DHEA, 그리고 성장 호르몬과 코티졸이 중요한 역할을 한다.

멜라토닌은 체내의 수면제라고 할 수 있다. 이 호르몬은 날이 어두워지면(눈에 의해 측정) 스스로 방출되어 잠을 자도록 자극한다. 낮에는 멜라토닌의 생산이 다시 중단되고 피로감과 졸음이 사라진다. 아침녘이 되면 DHEA 호르몬이 두뇌를 점차 자극하여 마침내 두 눈을 뜨게 된다.

잠 도둑 주의!
수면장애의 원인을 탐색하고 필요한 경우에는 의사의 검진을 받도록 하라. 다음과 같은 상황은 당신의 잠을 도둑질해갈 수 있다.

- 잠자리가 나쁠 때(침실이 너무 시끄럽거나 너무 덥거나 너무 환하거

 회복을 위해서는 충분하게 잠자는 시간(6~9시간으로 개인차가 있음)뿐 아니라 잠의 질도 중요하답니다.

나 너무 추울 때, 침대 매트리스가 너무 딱딱하거나 너무 푹신할 때, 파트너가 코를 골거나 조용히 자지 못할 때, 그리고 예민한 사람에게는 땅 속의 수맥도 잠을 방해함)

- 심적 스트레스와 고민
- 흥분, 걱정
- 늦은 저녁의 과식, 커피, 니코틴, 알코올
- 시차, 교내근무 등 낮과 밤의 리듬이 방해를 받을 때
- 집과 환경의 유독물질
- 전자기장(침실에 있는 텔레비전, 디지털 시계, 휴대전화)
- 육체적으로 극히 피곤할 때
- 식욕감퇴제, 코카인이 함유된 감기약이나 진통제
- 심장순환계, 호흡기, 소화기의 기능적 또는 유기적 질환(심한 저혈압, 심한 코골이)
- 갑상선 기능 장애
- 급성, 만성적 질환(경기, 백일해, 천식)
- 비타민이나 미네랄의 부족
- 정신박약증이나 알츠하이머병의 초기
- 수면 호르몬(멜라토닌)의 부족
- 한 가지 위주의 식사(특히 단백질 다이어트, 특정식 다이어트)

잠을 많이 자는 사람과 조금 자는 사람

자연스러운 재생단계와 에너지 샘을 무시하지 말고 밤에는 정기적으로 충분히 자도록 하라. 그렇다면 얼마나 오래 자야 할까? 많은 사람이 이 점에 관해 대단히 불안해하고 있다.

레겐스부르크의 수면연구소에서 실시한 연구에 따르면 독일인은 평균 23시 4분에 잠자리에 들고 6시 18분이면 다시 일어난다. 즉 7시간 14분 동안 침대에 누워 있다. 잠이 들기까지는 평균 15분이 걸리므로 거의 정확히 7시간을 잔다. 실제 수면시간과 최적의 수면시간이 얼마나 일치하는지는 개인적인 평가의 문제일 때가 많다. 7~8시간보다 적게 자도 아무 문제가 없는 사람이 있고, 건강과 작업능률을 유지하기 위해서 훨씬 더 많이 자야 하는 사람이 있다.

잠을 많이 자는 사람은 9.5시간 이상의 수면을 필요로 한다. 잠을 적게 자는 사람은 6시간 이하로 잔다. 자신이 어떤 유형에 속하든지 스스로 만족하고 불만이 없으면 아무런 문제가 없다. 10시간 이상을 자는 사람은 1.5%에 불과하다. 반대로 잠을 적게 자는 사람도 대부분 5시간은 자며 4시간 이하로 자는 사람은 거의 없다.

우리가 필요로 하는 수면시간은 다양한 요소의 영향을 받는 것이 분명하다. 사람마다 최적의 수면시간이 다르지만 대부분의 수면시간은 5~10시간 가량 된다. 개인차가 있는 수면시간은 일단 유전적 요인에 바탕을 두고 있는 듯이 보이지만 연령에 따라 달라지기 때문에 늘 똑같은 것은 아니다. 또한 계절의 리듬도 있다. 겨울에는 더 많이 자고 여름에는 비교적 적게 잔다. 여성은 본성적으로 남성보다 수면 욕구가 더 높은데, 이는 월경주기에 따라 달라진다. 월경주기가 시작될 즈음에는 수면욕구가 가장 크고 주기가 끝날 무렵에는 낮아진다 (이에 따라 여자들은 수면 호르몬인 멜라토닌의 혈중 농도가 변화됨).

일반적으로 병이 났을 때는 평소보다 오래 자지만 심한 스트레스나 근심이 있을 때는 오히려 잠을 적게 잔다. 그 밖에 외부 요인들도 수면시간에 영향을 미친다. 예를 들어 소음, 너무 높거나 낮은 실내온도, 밝기, 평소와 다른 환경 등은 대부분 사람들의 수면시간을 방해한다. 침대의 품질, 혼자 또는 둘이 자는 것도 수면시간에 영향을 미친다.

정상적인 경우 자신에게 가장 적합한 시간만큼 자고 나면 자명종 없이도 깨어난다. 좋은 잠은 언제나 자신의 내적 시계에 맞는 잠이다.

INFO

잠이 적었던 나폴레옹

프랑스의 황제 나폴레옹 보나파르트는 잠이 적기로 유명했다. 그는 저녁 10~12시에 잠자리에 들어서 새벽 2시까지 잤다. 2시부터 5시까지는 일을 했고 그 다음에 다시 7시까지 잤다. 그는 자신이 잠이 적은 이유를 이데올로기적 관점에서 다음과 같이 명확하게 설명했다. 남자는 4시간, 여자는 5시간, 더 이상 자는 사람은 바보!

백열전구를 발명하여 오늘날 밤의 특수한 용도를 위해 본질적인 기여를 한 미국인 토머스 에디슨은 밤에 5시간만 잤다. 그 역시 5시간이 정상적인 수면시간이라고 생각했을 것이며, 그보다 더 많이 자는 것은 시간 낭비라고 여겼을 것이다.

잠이 부족할 때

정상적인 경우에는 간혹 잠을 적게 자더라도 능력이나 건강을 침해당하지 않는다. 하지만 며칠씩 계속해서 내면의 수면시계를 속인다면 몸과 마음에 치명적인 손상을 입을 수 있다.

현대인의 일상적인 작업활동을 보면 꼭 필요한 경우, 그리고 외적환경이 집중적으로 지지할 경우 생물학적 수면욕구를 놀랍게도 오랫동안 극복할 수 있음을 알 수 있다. 한두 번 밤샘을 해도 별탈이 없는 경험은 누구나 해보았을 것이다. 여러 수면연구소에서 실시한 연구에 의하면, 대부분의 사람이 일주일간 수면시간을 5.5시간으로 줄여도 별탈이 없었다. 하지만 수면시간을 4.5시간으로 줄였을 때는 일주일 이상 견디는 사람이 거의 없었다. 수면시간을 3시간으로 줄였을 때는 일주일 내에 능력이 극적으로 저하되었다.

수면 부족은 우선 극단적인 피로감으로 표현된다. 잠을 너무 적게 자면 빨리 늙는다는 데 수많은 학자가 의견일치를 보이고 있다. 특히 탄수화물 신진대사가 나빠지고 혈액 내의 당도가 올라가며 저녁이면 스트레스 호르몬인 코티솔이 평소보다 많이 방출된다. 또한 갑상선 호르몬도 정상적인 박자로 체내를 순환하지 못한다. 이러한 변화는 노인의 상태 또는 당뇨병 초기 상태와 비슷하다. 이런 상태는 잠을 깊이, 충분히 자고 나면 다시 사라진다. 그러나 지속적인 수면 부족

통계에 의하면 많이 자는 사람이 적게 자는 사람보다 더 젊어 보이고 더 오래 산다고 해요.

은 매우 위험하다.

며칠간 수면 부족이 계속되면 대개 두 눈이 뜨겁고 통증이 느껴지
며 간혹 사물이 이중으로 보이기도 한다. 또한 통증에 대단히 예민해
지며 팔과 다리에는 느낌의 장애가 나타날 수 있다. 심장박동과 호흡
이 불규칙해지며 혈압도 떨어진다. 장기적으로는 신진대사와 면역체
계가 궤도에서 벗어나 모든 종류의 질병에 걸리기 쉽다.

수면 부족은 사람의 심리상태에도 영향을 미친다. 잠을 너무 적게
자는 사람은 잘 놀라고 예민하며 남을 의심하는 행동을 보이거나 늘
기분이 나쁜 상태다. 또한 인지능력도 믿을 수 없다. 이러한 사람들
의 소망은 잠을 푹 자고 싶을 뿐 다른 데는 거의 관심이 없다. 그래서
특히 정신적 활동을 할 때는 엄청나게 힘이 든다. 수면 부족에 오래
시달릴수록 그 같은 현상은 더욱 심해져서 심지어는 환각증상이나
감각의 혼란을 겪기도 한다. 지속적인 수면 부족은 의지력도 약화시
키며 집중적인 사고능력을 손상시킨다.

그렇다면 잠을 너무 많이 자면 어떤 증상이 생길까? 적당한 수면시
간보다 적어도 두 시간을 더 자면 대체로 무기력증, 의욕상실에 빠지
며 기억력이 없어지고 반응속도도 느려져 계속 축 처진 기분이라고
한다. 그럴 때는 적절하게 느껴지는 수면시간으로 줄이면 된다. 많이

수면장애가 오랫동안 계속되면 의사를 찾아가야 해요.
잃어버린 잠은 두 번 다시 만회할 수 없답니다.

자는 것만으로 실제적인 피해를 입지는 않는다.

107

바이오 힌트 : 충분한 수면을 즐기도록 하라

➡ 당신에게 가장 적당한 수면시간이 얼마인지 알아내고 모든 종류의 수면장애와 싸워 없애라. 개인적인 수면욕구를 진지하게 여기도록 하라. 남들이 밤늦게까지 일하고 잠을 조금밖에 자지 않는 것을 부러워하지 말라. 정기적으로 잘 자는 결과로 당신의 외모와 힘이 긍정적으로 변하는 것을 느끼고 즐기도록 하라.

먹는 즐거움

오늘날에는 올바른 식생활에 관한 충고가 정말 넘쳐나고 있다. 대부분의 사람은 어떻게 하면 건강한 식생활을 할 수 있는지 이미 알고 있다. 적어도 선진국에서는 식료품 공급에 있어 부족함이 전혀 없다.

하지만 유감스럽게도 '음식 외의 반찬'에 관해서는 그다지 주의를 기울이지 않는다. 식사는 신체를 보전하기 위해 에너지를 재충전하는 것 이상의 의미를 지닌다. 식사행위는 사회적인 요인도 있으며 사교와 의견교환에도 기여하므로 영혼도 함께 살찌우는 것이다. 가족이나 친구들과 둘러앉아 느긋하게 즐기는 식사는 사치이자 게으름 그 자체다.

식탁에서는 다툼이나 열띤 토론을 피하세요. 소화에 방해를 받거든요. 식사를 할 때는 가능하면 즐거운 이야기만 하세요.

유감스럽게도 오늘날의 유행은 전혀 다른 방향으로 나아가고 있다. 특히 스낵이 유행하고 있는데, 식사에 낭비할 시간이 없다는 것이 그 이유다. '보다 중요한 것'을 위해 식사는 곁다리로 해치우는 것이 최선의 방법이라는 식이다. 하지만 우리 몸이 내세우는 생물학적 욕구보다 더 중요한 것이 또 있을까? 이와 관련하여 몇 가지 생각을 해보자.

- 먹는 것을 즐긴다! 영양학도 점차 인간과 인간의 개인적 욕구에 중점을 두고 있다. 비타민이나 칼로리 밸런스를 계산하는 경직된 태도보다는 즐거움, 먹는 기쁨과 개성이 보다 더 중요시되는 것이다. 감각을 활짝 열고 야채시장을 둘러보며(음악과 조명으로 감각을 자극하는 슈퍼마켓일 필요는 없음) 먹고 싶어지는 것을 산다. 우리의 감각이 이끄는 대로 따른다면 본능적으로 올바른 음식을 선택하게 될 것이며 실수하는 일이 없을 것이다. 영양학 컨설턴트 따위도 필요하지 않다.
- 냉장고 안에 있는 것이나 신속하게 구입할 수 있는 음식이라 해서 만족하지 않는다. 음식은 의식적으로 선택하고 배합할수록 몸에 좋은 영향을 미친다.
- 식사할 때는 충분한 시간을 갖도록 하며 스트레스나 분주함은 피한다. 또한 멋진 분위기에도 신경을 쓴다.
- 가능하면 서서 먹지 않고 앉아서 먹는다. 학자들에 의하면, 앉

식사할 때는 아늑한 분위기가 올바른 음식 배합만큼이나 중요하죠.

아서 먹는 것이 소화기관의 활동을 돕는다고 한다. 서서 먹는 것은 반(反)생리학적인 행동이라 하겠다.

- 직업활동을 하는 사람은 세 번의 식사를 모두 느긋하게 즐기기 힘들다. 따라서 저녁식사 한 번만이라도 시간을 충분히 내서 즐기도록 한다. 그리고 주말이나 휴가 때는 여유 있고 아름다운 분위기에서 식사를 하도록 유의한다.
- 사업상 피할 수 없는 식사자리에서는 가벼운 음식을 잘 씹어 먹는다. 가능하면 소량을 주문하되 그것 역시 천천히 먹는다. 그렇게 하면 많은 양을 성급하게 삼키는 것보다 소화에 좋다.

얼마간이라도 식사에 더 많은 삶의 공간을 준다면 그에 따른 기분 좋은 영향을 금세 온몸으로 느끼게 될 것이다. 당신의 유기체가 몸과 정신의 건강으로 감사를 표할 테니까 말이다.

상쾌한 운동

생물학적 게으름의 법칙을 알고 있는 사람은 운동과 게으름은 상반되는 것으로 생각할 수 있다. 하지만 사실은 그렇지 않다. 오히려 정반대다. 적당한 운동은 생물학적 게으름에 속한다. 스포츠는 혈액순환을 원활하게 하고 심장과 근육을 강화시키며 혈압을 낮추고 지방대사를 최적의 상태로 이끌어 근육의 힘을 개선시켜 주며 운동성

운동은 우울증을 막아주는 이상적인 수단이기도 하다. 연구결과에 따르면 일주일에 적어도 세 번, 약 30분간 속보로 산책하거나 조깅을 한 우울증 환자들은 넉 달 뒤 우울증을 극복했다고 한다.

을 높여준다. 그 외에도 스포츠는 모든 기관을 활성화시키며 호르몬 생산을 자극한다. 이렇게 함으로써 신체는 윤활유를 바른 듯 매끄럽게 작동하며, 훈련되지 않은 유기체보다 훨씬 가볍게 움직인다.

이와 같이 운동으로 신체를 짓누르는 무거운 짐을 벗겨낼 수 있다. 그것은 게으름 계좌에 플러스 효과로 나타난다. 스포츠 활동에 관한 몇 가지 힌트를 살펴보자.

- 나만을 위한 스포츠 프로그램을 만들어 정기적으로 즐겁게 실천한다. 피트니스 트레이너의 조언을 받거나 필요한 정보를 책에서 얻는 것도 한 방법이다.
- 나만의 피트니스를 점검하고 필요한 경우에는 스포츠 프로그램을 시작하기 전에 의사의 진찰을 받도록 한다.
- 너무 무리하지 말고 그날 그날의 특수성을 감안한다. 분주하게 일을 한 날에는 느긋한 일요일과 같은 거리를 조깅하지 않아도 된다.
- 운동을 시작하자마자 곧 호흡이 곤란해지는 느낌이 들어도 걱정할 필요는 없다. 보통의 경우 그런 현상은 몇 분 뒤면 완화된다. 스포츠 학자들에 따르면, 초기의 호흡 곤란은 심장순환계 활동이 증가하기 때문이라고 한다.
- 옆구리가 뜨끔거려도 불안해할 이유는 없다. 그것은 가장 중요한 호흡근육인 횡격막이 필요한 산소량을 채워주지 못해서 생

당신도 느끼게 될 거예요.
정기적인 운동은 몸과 마음을 건강하게 하며 삶에 기쁨을 가져다 준답니다.

기는 현상일 뿐이다.

- 살을 빼기 위해 운동량을 늘리는 사람들이 있다. 하지만 많은 경우 생각처럼 효과가 없어 실망하게 된다. 그래도 계속 운동을 하라! 스포츠는 체중을 줄여주지는 못해도 신진대사를 활발하게 해주는데, 그것이야말로 훌륭한 생명보험이다. 연구결과에 따르면, 건강한 신진대사는 심장순환계 상태나 정상적인 체중보다 더 중요하다고 한다. 일본에서 행해진 어떤 연구에 따르면, 가벼운 운동 프로그램을 1년간 실천한 사람들은 심장순환계 상태에서는 변화가 없었지만 신진대사는 개선되었다. 내면의 엔진이 보다 효과적으로 작업을 하게 된 것이다. 많은 의학자는 건강한 신진대사가 심장병, 뇌졸중, 당뇨병을 막아주는 최선의 보호책이라 말하고 있다.

호흡—내적 안정에 이르는 길

호흡만큼 생명 템포를 조정하기에 좋은 수단은 없다. 따라서 올바른 호흡은 생물학적 게으름을 증가시키는 중요한 기둥이라 하겠다. 우리는 호흡을 통해 적정량의 에너지가 흐르도록 하거나 일부는 사용하지 않은 채 몸을 통해 사라지도록 할 수 있다. 올바른 호흡은 게으름과 에너지 절약을 위한 또 하나의 열쇠다.

우리가 매일 하는 호흡이지만 제대로 하지 못하는 경우도 많다. 이완되고 깊은 호흡이야말로 몸과 마음의 건강을 지켜주는 최상의 처방이다. 균형 잡힌 호흡 리듬은 건강상태를 안정시키고 안식을 주며 마음의 힘을 선사할 뿐 아니라 몸을 가볍게 만들어준다. 어렸을 때는 대부분 호흡이 잘된다. 갓난아기는 작은 배를 오르락내리락하며 규칙적인 리듬에 따라 움직인다. 옆구리도 같이 움직이며 목과 어깨는 느긋하게 이완되어 있다. 들숨, 날숨, 정지의 조화로운 3박자 속에 작은 유기체는 스스로 세계와 하나가 된다.

잘못된 생활 스타일, 잘못된 호흡

세월이 흐르면서 우리는 어렸을 적의 자연스러운 리듬을 잊어버린다. 주로 앉아 있는 생활, 몸을 조이는 옷, 지나치게 높은 구두 등이 배를 조이기 때문이다. 게다가 늘 시간이 없거나 할일이 많아서 불안하며 호흡은 급한 2박자가 되고 호흡의 중심도 가슴을 향해 계속 위로 올라온다. 숨이 가쁘고 이야기도 서두르며 목도 아프다. 공기는 그야말로 억지로 쥐어짜듯 몸 속으로 들어왔다가 다시 밖으로 나간다. 유기체는 충분한 산소를 공급받지 못하여 절약 점화로 들어간다. 그러면 금세 피곤해지고 발도 차가우며 기분이 좋지 않다. 물론 그렇게 되기 전에도 몸은 더 나은 호흡을 원한다는 신호를 보낸다. 그러

INFO
호흡은 체내의 산소와 이산화탄소 수치를 조절하며 유기체를 해독시킨다. 우리는 숨을 들이쉴 때 산소를 저장하고 숨을 내쉴 때 불필요한 이산화탄소 및 공기와 함께 들이마신 가스, 먼지입자, 심지어는 병원균까지 배출한다.

면 우리는 하품을 하거나 한숨을 쉰다. 기침, 재채기, 웃음도 신선한 공기유입을 늘리라는 유기체의 구조요청이다.

어떤 상황에서 호흡이 짧아지고 급해지는지 의식적으로 살펴보라. 또 호흡이 배까지 깊숙이 내려가는지 아니면 중간쯤에서 멈추는지 관찰하라. 횡격막 위와 갈비뼈 아래가 정말 단단하게 만져지고 숨을 헐떡거릴 때가 있을 것이다.

우리는 때로 날숨을 소홀히 한다. 하지만 숨을 내쉴 때 폐의 소낭들이 모두 비워져야 다음번 호흡 때 신선한 산소를 충분히 받아들일 수 있으므로 날숨이 매우 중요하다. 잘못된 호흡의 가장 흔한 원인은 일상의 스트레스, 예민한 신경, 불안 등에 있다. 우리는 너무 빨리, 너무 낮게 호흡함으로써 근육이 경련하게 만든다. 그러한 긴장상태는 신경을 통해 뇌로 전달되는데, 몸과 마음의 긴장이 한층 강화되면서 긴장상태가 장기적으로 지속되는 경우도 종종 있다. 깊고 안정된 복식호흡을 하면 느긋하게 이완되는 느낌을 받으며 말도 유창해질 뿐만 아니라 표현도 강해지고 목소리에 볼륨이 생긴다. 즉 몸과 정신과 감정이 하나로 조화를 이루는 것이다. 생화학적으로 설명하자면 깊은 호흡은 우리의 뇌 안에 있는 기분 좋은 전달물질, 소위 엔도르핀을 활성화한다.

깊은 복식호흡은 내장을 자극하고 혈액순환을 개선시키며 세포의 신진대사, 면역기제, 그리고 소화운동을 활성화하죠.

올바른 호흡을 찾자

훌륭한 호흡 트레이닝은 운동임이 입증되었다. 정기적인 운동은 허파와 혈액의 산소 수용능력을 높여주고 모세혈관을 훈련시킨다. 운동 부족으로 발달이 부진하던 혈관이 다시 자라나 신체의 구석진 곳까지 산소를 원활하게 공급할 수 있으며 폐기물을 처리할 수 있다. 그 효과는 외모로도 나타난다. 올바른 호흡은 피부를 젊게, 장밋빛으로 만들어준다. 충분한 산책이나 운동을 하고 나면 산소의 추가공급이 이루어져 거울에 비친 안색이 벌써 달라진다.

바이오힌트 : 건강한 호흡을 찾는 법

➡ 자세를 곧게 하도록 유의한다.

➡ 몸에 딱 붙는 옷, 특히 바지를 삼가도록 한다.

➡ 굽이 지나치게 높은 구두는 오랫동안 걸어야 할 때 특히 삼간다. 높은 구두는 배의 근육을 긴장시키기 때문이다.

➡ 야외에서 신선한 공기를 마시며 많이 움직인다.

➡ 실내 습기가 충분하도록 유의한다.

➡ 가능하면 입으로 숨을 쉬지 않도록 한다. 코에서는 공기가 정화되고 데워지며 습기도 갖게 된다.

➡ 잔기침, 가래 배출을 참지 말라. 종종 호흡곤란에 시달리는 편이라면 반드시 의사의 상담을 받도록 한다. 심장, 폐의 심각한

피부노화를 막는 최선의 비결은 원활한 혈액순환이에요.
꾸준히 운동하고 깊은 호흡을 하면 혈액순환을 개선할 수 있답니다.

문제거나 혈액부족의 신호일 수 있기 때문이다.

➡ 매일 여러 차례 당신의 호흡을 관찰하라. 아무런 장애 없이 배까지 내려오는가? 그렇지 않다면 몇 분간 호흡에 집중하는 것이 좋다. 그러면 일상의 스트레스도 줄어들 것이다.

➡ 이완시켜 주는 호흡 테크닉을 배우라.

호흡훈련

호흡훈련은 능력 있는 교사의 지도를 받는 것이 가장 좋다. 요즘은 호흡훈련을 가르치는 단체도 많다. 일반적으로 조심스럽게 하는 것이 좋으며 초기에 너무 무리하지 않도록 한다. 개별적인 장기의 기능을 상당히 강하게 자극하기 때문이다. 몇 년 동안 잘못된 호흡, 즉 너무 낮은 호흡을 하던 사람은 초기에 돌발적인 신열이나 불면증 등 문제가 발생할 수 있다. 특히 심장 리듬 장애, 천식, 갑상선 기능 과다증이 있는 사람은 의사와 상담한 뒤 호흡훈련을 하는 것이 좋다.

신음연습은 단순하고 소화하기 쉬운 호흡훈련이다. 힘들었던 하루의 모든 스케줄이 끝난 뒤 신음연습을 하면 몸과 마음이 진정되고 긴장도 풀릴 것이다.

일단 의자에 똑바로 앉는다. 등을 편 상태에서 윗몸을 앞으로 구부리고 팔꿈치 아랫부분으로 허벅지를 짚는다. 그리고는 향기가 좋은 향수냄새를 맡듯 킁킁거리는 숨을 들이쉰 다음, 이어서 신음을 하며 숨을 내뱉는다. 이때 호흡동작이 등까지 들어오는 것을 감지해본다. 숨을 내뱉을 때는 내적으로, 그리고 외적으로 긴장을 푼다. 날숨은 들숨보다 오래 걸려야 한다. 날숨이 끝나면 잠시 숨을 멈춘다. 이 훈련을 4~6번 한 뒤에는 숨을 깊이 내쉬고 다시 들이쉰다. 이제 기지개를 하고 하품을 하며 마무리한다. 온몸이 상쾌해졌음을 느낄 수 있을 것이다.

규칙적인 간격으로 짧은 주기의 휴식이 필요하다

최근 들어 학자와 의사들은 중요한 인식에 도달했다. 우리의 신체가 특정한 간격을 두고 휴식하라는 의미의 중요한 힌트를 준다는 것이다. 그것은 예를 들어 하품, 백일몽, 집중력 감소, 건망증, 허기, 불안한 감정상태 등이다. 하지만 우리는 이런 신호를 아예 무시하고 커피나 달콤한 간식, 담배, 술과 같은 경각제로 피로와 싸우려 한다. 이렇게 휴식을 원하는 몸의 욕구를 계속 무시하는 사람은 스트레스에 빠지거나 기진맥진하여 여러 가지 심인성 질환에 걸리게 된다.

올바로 호흡하는 법을 배운 사람은 언제나 득을 보죠. 그런 사람은 일상생활에서도 호흡이 길어진답니다.

활동과 휴식의 균형

하루 중 능률과 기분상태가 주기적으로 변하는 것을 느끼는 사람들이 많을 것이다. 활동 사이클의 시간적 길이는 개인차가 매우 크지만 대체로 90~120분의 활동단계가 끝나면 20분의 휴식이 필요하다. 학자들은 이 휴식을 '짧은 주기의 휴식'이라 부른다. 이때의 휴식은 몸과 정신의 능률을 유지하기 위해서 반드시 필요하다. 이렇게 쉬는 동안 소위 짧은 주기의 치료반응이 진행되기 때문이다.

학자들의 연구결과를 보면 자율신경계, 호르몬 시스템, 면역 시스템 등 우리의 중요한 정신적, 육체적 시스템은 90~120분의 휴식과 활동 주기를 근간으로 자동 제어되고 있다. 이와 같은 주기의 비밀은 몸과 마음을 제어하는 전달물질 분자 속에 숨어 있다. 다시 말해 전달물질 분자들이 정확히 90~120분 간격으로 방출되는 것이다. 이들 전달물질 분자 가운데는 테스토스테론과 에스트로겐 등의 성 호르몬, 포도당이나 인슐린 같은 에너지 요인, 코티솔과 아드레날린, 베타엔도르핀 등의 스트레스 호르몬이 있다. 즉 흥분과 이완 등의 심적 상태에 영향을 미치는 모든 요소가 이에 속한다.

이들 전달물질이야말로 몸과 마음을 이어주는 결정적인 커뮤니케이션 통로다. 이들 소재는 '정보물질'이라고도 한다. 정보물질은 우리에게 언제 허기가 지고 배가 부른지, 스트레스를 받고 있거나 이완되어 있는지, 에너지를 방출해야 하는지 또는 휴식이나 휴양이 필요한지를 알려준다. 정보물질은 우리의 에너지 대사, 통증민감도, 성욕, 갈증, 깨어 있음, 분노, 즐거움 등 전반적인 상태를 관할한다. 다시 말해 정보물질은 우리의 하루하루, 일 주 이 주, 한 달 두 달, 아니 우리의 인생 전체를 규제한다.

대체로 다음과 같은 규칙이 유효하다. 120분간 활동한 뒤에는 몸과 정신이 재생하기 위해 20분간 휴식해야 한다. 그렇다고 해서 우리가 이들 전달물질 분자에게 꼼짝 못하고 복속되어 있는 것은 아니다. 이들 전달물질이 우리의 생각과 자세, 감정에 영향을 미치듯이 우리의 생각과 자세, 감정도 이들 전달물질의 방출과 흐름에 영향을 미칠 수 있다. 아름다운 체험을 할 때는 몸과 마음이 합일을 이루어 기쁨과 즐거움의 감정을 강화하는 전달물질을 방출시킨다. 또 불쾌한 체험이 닥치면 몸과 마음이 한결같이 슬픔과 실망의 감정을 전달하는 전달물질을 방출한다. 다시 말해 몸과 마음을 이어주는 커뮤니케이션은 일방통행이 아니라 쌍방통행이다.

우리는 20분간의 재생 · 휴식 단계를 하루에도 수차례 자기 자신에게 허락하여 몸과 마음을 재건하도록 해야 할 것이다. 20분간의 재생 · 휴식 단계에는 중요한 치료과정, 성장과정이 진행된다. 뼈 속에서는 모든 세포에 산소와 영양분을 공급할 새로운 혈액세포가 초당 수백만 개씩 형성된다. 호르몬 선에는 호르몬과 전달물질이 채워진다. 우리 몸의 중요한 장기들은 에너지 공급을 받아 이제 곧 시작될 활동단계를 위해 만반의 준비를 한다. 정신은 이 시간 동안 보다 강하게 내면으로 향하여 과거의 사건을 처리하며 거기서부터 새로운 의미와 인식을 도출하기 시작한다.

유기체는 유연하게 반응한다

"이제 좀 쉬자!"는 신호가 우리 귀에 잘 들리지 않는 이유는 무엇일까? 이 질문에 대한 답변은 다음과 같다. 자연은 우리의 유기체에 믿을 수 없을 만큼 엄청난 적응력을 선사했다. 우리의 선조들이 자연에서 야생동물로 살았던 시대에는 맹수와 나쁜 기후 등 늘 숱한 위험에 직면해 있었다. 그러므로 당시의 지구 주민들은 90분마다 만사를 제쳐두고 누워서 쉬는 짧은 주기의 리듬에 따르는 것이 불가능했다. 그러다 긴긴 진화사를 통해 인류의 생물학적 프로그램은 차츰 탄력성 있게 조정되었다. 특정한 시간에 특별한 수고를 해야 할 경우 짧은 주기의 리듬이 늘어나면서 정신적 민첩성과 신체적 힘이 긴급상황을 헤치고 생존을 확보할 수 있게 된 것이다. 사실 능률이 최하점을 이루는 20분간은 회복을 위해 쉬어야 할 시간이지만 계속 일한다 해도 아무런 피해를 입지 않는다. 물론 평소에 휴식단계를 어느 정도 규칙적으로 지킨다는 전제하에서 말이다.

우리의 선조들은 자연의 리듬에 직접 접하며 살아왔다. 그들은 태양이 떠오를 때 잠에서 깨어났고 태양이 지면 잠을 자기 위해 몸을 눕혔다. 또한 낮 동안에도 쉬고 싶은 욕구가 느껴지면 언제나 푹 쉬었다. 이렇게 비교적 이완된 생활방식으로 생물학적 예비분을 갖춤으로써 그들은 몸의 신호에도 충분한 여유를 가지고 반응할 수 있었다. 정상적인 리듬에서 벗어난 예외적인 일이 생겨도 탄력적으로 대응할 수 있게 된 것이다.

휴식신호를 외면하면?

그동안 인류의 문명은 엄청난 진보를 이루어왔다. 그 결과 우리는 더 이상 자연스러운 리듬에 맞출 수 없어 사회적 리듬에 따라 살게 되었다. 직장에서의 요구, 여가 및 문화활동 프로그램의 다양화, 사회생활의 특정한 관습들은 정기적인 휴식을 원하는 자연적 욕구에 정면으로 거스르는 생활, 짧은 시간 내에 보다 많은 것을 해내도록 요구하는 생활을 점점 더 강요하고 있다. 결국 우리는 도를 넘는 엄청난 자극이 영구히 지속되는 상태에서 기진맥진하여 쓰러질 때까지 견디고 있는 셈이다.

휴식을 갈구하는 내면의 낮은 목소리는 너무 쉽게 외면당하곤 했다. 야생동물처럼 살던 인류의 선조들이 살아남을 수 있게 해주었던 유기체의 풍부한 탄력성은 그렇게 하여 현대인에게 유해요소가 되어버렸다. 자연에서는 예외상황이었던 것이 이제는 일상생활이 되었다. 게다가 현대의 일상은 재생치료를 갈구하는 내면의 신호를 아주 쉽게 외면하고 무시할 수 있게 해주었고, 심지어는 그렇게 하도록 강요하고 있다.

자연스런 리듬은 무시하고 외면할수록 의식하기 어려워진다. 그리하여 대부분의 사람은 언제부터인가 신체를 재생하고 영혼의 평정을 회복하려는 자연스런 욕구를 더 이상 감지할 수 없게 되었다. 그렇다고 해서 휴식을 찾는 타고난 요구가 우리의 생물학적 프로그램에서 흔적도 없이 사라지는 것은 아니다. 장애와 통증의 형식으로 표현되기 시작했기 때문이다.

살아 있는 생물체인 인간은 스트레스 호르몬이 지속적으로 흐르면 참을 수 없게 된다. 물론 얼마 동안은 견딜 수 있겠지만 스트레스가 만성화되면 스스로를 파괴하기 시작한다. 우리가 계속 일만 하려고 할 때 몸은 살아남기 위한 중요한 이유 때문에 그러는 것으로 간주하고 협조한다. 그래서 스트레스 전달물질을 추가적으로 방출하며 재생작업을 뒤로 미룬다. 그런 생활이 계속되면 우리는 언젠가 '스트레스 증후군'에 희생되고 만다. 스트레스 증후군이란 정상적인 생활을 불가능하게 만드는 여러 종류의 심인성 증상들을 말한다.

스트레스는 기억력과 학습능력 장애를 낳을 수 있으며 능률을 저하시키고 신경을 예민하게 만드는 피로현상이 뒤따른다. 이런 증상들은 심장발작, 뇌졸중, 두통, 요통, 고혈압, 위궤양, 천식, 피부병, 우울증, 불안, 불면증, 비만 등 널리 알려진 스트레스 질환들로 발전될 수도 있다.

우리가 스스로에게 휴식과 이완을 허락하자마자 몸과 정신의 통합구조는 자체 통제과정을 다시 시작한다. 그러므로 삶에 휴식을 주고자 하는 시도는 언제라도 너무 늦은 것은 아니다.

내게 꼭 맞는 자연스런 리듬에 따라 활동한다면 능률이 오를 것이며 그와 동시에 몸과 마음도 건강해질 것이다. 짧은 주기의 생체 리듬이 최고조에 달할 때 능률도 정점에 이른다. 이때는 생각이 명확해지며 매사에 집중이 잘되고 하기 힘든 일도 무리 없이 진행된다. 당신은 모든 일이 저절로 풀릴 때를 경험해보았을 것이다. 가능하면 그런 시간은 중요한 일을 하는 데 이용하는 것이 바람직하다.

20분간 휴식의 규칙을 제대로 지키는 사람은 그와 같은 최고 능률의 순간들을 하루에도 여러 차례 경험하게 된다. 하지만 휴식시간도 없이 계속 일하는 사람은 결과적으로 특별히 생산적인 시간대를 없애는 셈이어서 성과도 낮을 수밖에 없다. 재생의 휴식이 없으면 능률의 최고점도 없으며 언제나 중간 정도의 잠재력에 만족해야 한다. 그러므로 유기체의 자연스러운 박자에 따라 일하고 쉬도록 하라. 그러면 더 많은 일을 하면서도 귀중한 생명 에너지를 절약할 수 있다.

바이오 힌트 : 휴식시간 만들기

➜ 몇 분간 멍하니 창밖을 바라보는 것뿐이라 할지라도 일상에서 휴식시간을 끼워넣을 수 있는 방법을 강구한다. 물론 외과의사나 비행기 조종사처럼 몇 시간씩 계속 일해야 하는 직업도 있다. 그런 경우에도 여가시간에는 다른 사람보다 훨씬 더 오랫동안 휴식하여 균형을 맞춰야 한다.

제5장

생물학적 여유의 법칙

에너지는 흘러야 한다

동양의학에서는 몸 속에 에너지가 흐른다는 사실을 인정하고 있다. 이 에너지의 흐름을 한의학에서는 기(氣)라고 하며 인도에서는 프라나, 티벳에서는 룽이라고 한다. 건강한 유기체 안에는 생명 에너지가 아무런 방해도 받지 않고 에너지 도로망을 통해 순환한다. 하지만 에너지가 스트레스를 받거나 몸이 허약해서, 또는 잘못된 생활 스타일로 순탄하게 흐르지 못하면 질병이 발생한다.

에너지 도로망은 그물처럼 몸 전체에 퍼져 있으며 모든 장기와 내분비선, 즉 위, 간, 비장, 신장, 췌장, 장에 에너지를 공급한다. 그 외에도 힘줄과 근육의 그물망과 특수 그물망이 있어서 도망이나 공격, 공격성 등 특정한 반사를 담당한다. 에너지 그물망에는 수많은 피부의 점들이 있는데 이제까지 알려진 것만도 750개가 넘는다. 에너지는 이 점에서 표면으로 나오거나 환경적 영향을 받아들인다. 서양의학도 체내의 에너지 흐름에 점차 개방적인 자세를 보여주고 있다. 근육이나 척추 등에 차단현상이 생기면 장기의 에너지 공급이 방해받을 수 있으며 이는 통증으로 이어짐을 이제 우리는 알고 있다. 에너지 공급에 심각한 장애가 생기면 생명은 중단되고 만다.

살아 있는 유기체는 기계가 아니다. 유기체의 활동은 기계적으로

동양의학은 다양한 방법을 통해 에너지의 흐름을 강화하거나 상승시킬 수 있답니다.

통제되지 않을 뿐 아니라 오히려 존재의 표현이다. 건강한 유기체의 경우 행동이나 운동은 자유롭게 통제되고 그럼으로써 만족감과 쾌감이 따른다. 이런 상태에서는 신진대사와 에너지의 흐름이 최적의 효율을 보인다. 그러므로 기쁘게 살아야 한다. 그래야만 에너지가 몸 안에서 편안히 흐른다.

에너지 과정의 관점에서 인격을 바라보는 생체 에너지학에 따르면, 에너지와 인격은 서로 무관하지 않다. 사람은 인격적 특성, 즉 성격에 따라 생체 에너지를 쓰는 방법이 다르다. 예를 들어 충동적인 사람은 에너지 사용에 낭비가 심한 편이지만 유난히 절약해서 연소하는 타입도 있다. 우울증이 있는 사람은 에너지 흐름이 약하다. 예를 들어 우울증이 심한 사람은 움직임이 적고 호흡도 느리며 식욕도 별로 없고 성욕도 약하다. 한마디로 삶을 위한 에너지가 부족하다.

에너지 흐름의 자극

에너지 흐름이 순탄하지 않은 사람은 호흡과 몸의 움직임에 특별한 주의를 기울여야 한다. 에너지 흐름을 회복시키는 가장 좋은 방법은 심호흡이다. 심호흡은 체내의 산소 유입을 증가시킨다. 깊고 풍성한 호흡은 에너지를 높여줄 수 있다. 그러면 목소리도 풍성해지고 안

INFO 에너지 흐름을 활발하게 만드는 방법―원 그리기와 누르기

지압에서는 손가락 끝으로 원을 그리거나 누르는 동작을 하여 압력에 예민하거나 아픈 점들을 다루는데, 상이한 압력으로 몇 초에서 몇 분간 실시한다. 처치는 경험 있는 치료사가 하지만 혼자서 하거나 두 사람이 짝을 지어 서로 해줄 수도 있다. 지압에 관해서는 책이 많이 나와 있으니 참고해도 좋고 지압학교를 다닐 수도 있다. 지압학교에서는 신체 내의 여러 가지 지압 그물망에 관해 배울 수 있다.

색도 생기를 띠고 피부도 장밋빛이 되며 에너지 수치가 상승한다.

정서적 움직임도 몸 속의 조화로운 에너지 흐름을 돕는다. 한 번 주위 사람들을 관찰해보라. 어떤 사람은 제스처로 자신의 기분을 강조하며 극히 활기 있어 보인다. 하지만 정말 경직된 사람, 그래서 무감각해 보이는 사람도 있다. 당신은 어떤가? 자신의 바디랭귀지에 좀더 관심을 기울이며 말로만 기분을 표현할 것이 아니라 표정과 제스처도 사용해보라. 가장 중요한 것은 물론 웃음이다. 웃으면 에너지의 흐름이 활기를 띠어 스스로 영민하고 명랑해지는 것이 느껴질 것이다.

바이오 힌트 : 마음껏 웃어보라
➡ 웃음은 자연스러운 방식으로 체내의 에너지 장애를 해소하며 이에 덧붙여 거부할 수 없는 광채를 선사한다. 제대로 터져나오는 웃음은 얼굴 조깅과 같은 효과가 있다. 한 번 웃을 때마다 17개의 얼굴 근육들이 활동함으로써 몸의 혈액순환이 강화되고 횡격막의 긴장이 사라진다. 또한 정상적인 호흡과 비교할 때 몸은 3~4배의 산소를 수용하게 된다. 그 외에도 뇌에서는 행복 호르몬을 방출한다. 1분간 실컷 웃으면 30분간 이완훈련을 하는 것과 같은 효과를 볼 수 있다.

전달물질이 활동하게 하라

아침이면 기분이 좋고 활기차며 그날 해야 할 일을 완수할 수 있을 만큼 에너지가 충분하여 몸에 불편감이 없으며 저녁이면 정상적인 피로를 느끼고 쉽게 잠들 수 있는 사람이 있다. 이러한 사람의 유기체는 생리학적 균형을 이루고 있다. 육체가 정상적이고 건강한 상태면 몸속의 에너지가 조화롭게 흐른다는 증거다.

우리 몸이 순탄하게 기능하는 데 결정적 역할을 하는 것은 호르몬이다. 호르몬은 다양한 내분비선과 세포에서 생산되는 물질이며 미량의 농도로 몸의 반응을 불러일으킨다. 또한 생명의 조절자이자 유기체의 중요한 커뮤니케이션 수단이다. 또한 허기, 갈증, 생식 등의 생존과정을 결정하고 절망감, 가슴이 뛰는 현상, 슬픔, 분노나 행복감을 불러일으킨다. 뚱뚱하거나 마른 몸매, 피부가 지성이거나 건성인 것, 쉽게 잠들거나 불면에 시달리는 것 등도 호르몬이 결정한다. 결국 우리 몸의 모든 기관이 호르몬의 명령에 복종하는 것이다. 호르몬의 방출과 배분은 조심스럽게 통제되고 제어된다.

기분이 좋은지 그렇지 못한지도 호르몬의 적당한 양이 적절한 위치에 있는가 그렇지 않은가에 따라 영향을 받는다. 전체적으로는 호르몬이 균형을 이룬다 해도 건강과 기분에 더 중요한 호르몬(행복감호르몬과 게으름 호르몬)이 있고 그렇지 않은 호르몬이 있다. 다음의 표를 보면 알 수 있듯이 생물학적 게으름은 특히 행복감을 주는 호르몬에 긍정적인 영향을 미친다.

전반적으로 행복감을 느끼려면 생물학적 자동 조절 시스템이 올바로 작동해야 한다. 그것은 자동차도 마찬가지다. 자동차도 자동 조절 시스템이 올바로 작동해야 잘 달릴 수 있다.

호르몬과 함께 게으름을 피우자

호르몬이 제대로 활동할 때 우리는 최고의 생물학적 이기주의자가 될 수 있다. 호르몬은 일상생활에서 몸이 필요로 하는 욕구에 얼마나 주의를 기울였는지 보여주는 훌륭한 지표다. 비타민이나 미네랄 부족현상 등과 달리 호르몬 대사는 목표지향적 다이어트로 조절되지 않기 때문이다. 또한 특정 식품이나 각성제도 호르몬 생성을 자극하지 않는다. 오히려 조화로운 생활방식, 생물학적 필요를 고려하는 삶에서 긍정적인 영향을 받을 뿐이다. 그럴 때는 전반적으로 기분이 좋고 에너지가 우리의 몸 속을 순탄하게 흐른다. 바로 생물학적 게으름 그 자체라 할 수 있다. 어떻게 하면 그렇게 되는지, 다음의 바이오 힌트를 살펴보자.

행복감을 주는 호르몬

호르몬	생성되는 장소	생성을 돕는 행동	영향
DHEA	부신피질, 뇌	스트레스를 피한다.	행복감의 기본 호르몬 : 모든 종류의 행복 호르몬을 출발시키는 소재로서 뇌를 민첩하게 하며 스트레스를 막아준다.
엔도르핀	뇌를 비롯한 신체의 여러 부분	운동, 섹스	행복 호르몬
세로토닌	뇌	햇빛, 단백질과 탄수화물이 든 스낵을 먹는다.	기분이 좋아지는 호르몬
에스트로겐	난소	햇빛, 섹스	여성의 정신적 균형을 안정시켜 주며, 아름다움의 호르몬이다.
테스토스테론	고환	햇빛, 운동, 섹스	남성적 기질, 자의식, 용기를 촉진시켜 주며 성욕을 생성한다. (남녀 모두에게 해당)
옥시토신	뇌하수체후엽	애무, 스킨십	애무 호르몬으로, 가까운 느낌과 보호받는 느낌을 생성한다.
티록신, 트리요오드티로닌	갑상선	요오드가 함유된 음식 (생선과 해산물)	신진대사의 균형을 잡고 몸과 마음의 균형을 이루어준다.

바이오힌트 : 호르몬이 비약하도록 돕는 방법

➼ 골고루 균형 잡힌 식사를 한다. 한 가지 음식만 먹는 다이어트는 몸에 좋지 않다. 호르몬의 적은 설탕, 지나치게 기름진 식사, 과도한 알코올, 흡연 등이다. 이런 것들은 호르몬 대사의 균형을 깨뜨리고 만다.

➼ 기분을 좋게 하는 세로토닌 호르몬과 멜라토닌이라는 수면 호르몬의 도약을 돕기 위해서는 단백질과 탄수화물이 결합된 식사를 해야 한다. 아침식사 때부터 뇌에서는 세로토닌을 생산할 생물학적 조립 라인이 만들어진다. 세로토닌의 조립 자재는 단백질(트립토판 아미노산)이며 생산속도는 식사를 통해 섭취된 탄수화물이 결정한다. 날이 어두워지면 세로토닌에서 멜라토닌이 만들어진다.

➼ 스쿠알렌이 함유된 식품인 올리브, 아보카도, 가지, 치즈, 참치 등을 식단에 규칙적으로 넣는다. 스쿠알렌은 우리 몸에서 상쾌함의 호르몬인 DHEA를 생산한다. 특히 올리브 기름을 넣은 샐러드를 매일 먹으면 이상적이다.

➼ 식사를 통해 풍부한 미네랄을 섭취하도록 한다. 그러면 호르몬을 생산하는 효소들이 더 활발히 활동할 수 있다. 과일과 야채, 유제품, 곡물류에는 미네랄이 풍부하다.

➼ 비타민 C를 충분히 섭취한다. 호르몬 중에는 비타민 C가 있어야 생성되는 것들이 많다. 특히 겨울이나 아플 때는 식사를 통

기분이 나쁠 때 가장 좋은 응급조치는 치즈(트립토판)와 달콤한 포도를 함께 먹는 거예요.

해 섭취한 비타민 C로는 부족하다. 그러므로 칼슘과 비타민 C가 합쳐진 캡슐을 복용하라고 권하고 싶다. 칼슘과 함께 섭취된 비타민 C는 특히 소화가 잘되며 체내 흡수가 뛰어나다.

➡ 마그네슘이 결핍되지 않도록 주의한다. 대부분의 호르몬이 마그네슘에 의존된 체인 반응을 통해 효과를 낸다. 코코아, 우유, 견과류에 특히 많고 마그네슘이 풍부한 생수를 마시는 것도 한 방법이다.

➡ 고급 단백질(곡류, 육류, 생선류)을 충분히 섭취한다. 대부분의 호르몬은 세포에서 단백질(대부분 효소) 생산을 추진하는데, 이때 재료(아미노산)가 충분해야 단백질이 제대로 생산될 수 있다.

➡ 비만이 되지 않도록 주의하고 적절한 체중을 유지한다. 연구결과에 따르면 체중이 과도한 사람은 그렇지 않은 사람보다 호르몬 장애가 생길 확률이 높다.

➡ 불포화지방산을 적당히 섭취한다. 불포화지방산은 식물성 기름과 생선 기름에 함유되어 있다. 식물성 기름(올리브유가 가장 좋음)을 넣은 샐러드를 매일 먹고 일주일에 두 번은 생선을 먹도록 한다. 연구결과에 따르면 불포화지방산은 호르몬 대사를 돕는다고 한다.

➡ 삶에 리듬을 주는 것이 좋다. 규칙적인 것에 익숙한 호르몬은 생활이 너무 혼란스러우면 박자를 잃어버리기 쉽다. 그러므로 일상에서 어느 정도의 규칙을 만들도록 하라. 언제나 새로운 시도를

감행하거나 관습에서 벗어난 정돈되지 않은 생활은 흥미진진할지는 몰라도 호르몬의 균형에 부정적인 영향을 미친다(스튜어디스와 여류 예술가들 가운데는 월경주기가 불규칙적인 사람들이 많음). 특히 먹고 자는 것을 규칙적으로 한다. 균형 잡힌 호르몬 대사는 언제나 규칙적인 생활 스타일의 결과다.

➡ 낮의 햇빛, 온도 변화, 바람, 날씨와 같은 자연스러운 자극을 몸으로 직접 맛본다. 그것은 호르몬 대사의 적응능력을 부드럽게 훈련시키는 방법이다.

➡ 게으름의 호르몬이야말로 외적 자극에 매우 훌륭하게 반응한다는 것을 염두에 둔다. 예를 들어 규칙적으로 쏘이는 햇빛은 체내의 호르몬 활동에 긍정적인 영향을 미친다. 성 호르몬 생성을 위해 할 수 있는 가장 좋은 방법은 쾌락과 섹스에 자주 몸을 맡기는 것이다.

➡ 지속적인 스트레스는 몸과 마음을 상쾌하게 해주는 호르몬인 DHEA에 제동을 가하고 장기적으로는 체내 호르몬 생산을 혼란에 빠뜨린다. 가능하면 지속적인 스트레스를 피하라.

➡ 울고 싶으면 울도록 하라. 학자들에 따르면 눈물은 정서적 균형을 회복시키는 데 중요한 역할을 한다고 한다. 눈물과 함께 스트레스 호르몬이 흘러나오면 몸 안에서는 안정제(endogene Opiate)의 생성이 자극을 받는다. 그밖에도 자주 우는 사람은 위궤양이 적고 특히 오래 산다.

INFO

가능하다면 매일 같은 시간에 잠자리에 들고 아침에도 같은 시간에 일어나라. 한 시간 정도의 차이는 유기체가 별탈 없이 받아들일 수 있지만 이미 습관이 된 수면시간에서 크게 벗어나면 내면의 시계가 박자를 잃어버린다.

➡ 호르몬 친화적인 생활방식에도 불구하고 장기간 불편감이 계속된다면 의사를 찾아가 호르몬 수치를 측정해보는 것이 좋다. 부족한 호르몬을 보충해야 할 가능성이 높기 때문이다. 마찬가지로 목표 지향적인 호르몬 대체요법을 통해 노화에 따른 여러 가지 불편증을 피할 수 있다.

에너지 통로를 연다

자연은 인간에게 감각기관을 주어 주위환경을 파악하고 감지할 수 있도록 했다. 그래서 우리는 보고 듣고 냄새 맡고 느끼며 맛을 볼 수 있다. 또한 추위와 더위, 통증에 대한 감각도 뛰어나며 균형감각도 있다. 이와 같이 외부로부터 감지되는 수많은 인상 때문에 우리의 감각기관은 끊임없이 일하며 매일매일 최대의 능률을 올리고 있다. 그 결과 감각적 인상의 혼란이 생길 수 있는데, 그렇게 되면 다량의 에너지를 빼앗기게 된다.

끝없이 이어지는 감각적 인상의 홍수가 얼마나 많은 힘과 에너지를 소비하게 하는지는 명절 전의 시장이나 박람회에 가보면 알 수 있다. 빛의 자극은 쉴새없이 쏟아져내리고 몇 걸음을 옮길 때마다 음악이 바뀌며 냄새도 달라질 뿐더러 혼잡한 틈새에 밀고 밀치기까지 한다. 의식적으로 신체활동을 한 것도 아니고 정신활동을 한 것도 아닌

우리의 감각기관은 세계로 향한 문과 같아서 삶에 중요한 환경정보를 알려주며 다가올 위험에 대해 경고해주죠. 하지만 이 문을 통해 많은 에너지가 빠져나갈 수도 있답니다.

데 얼마 뒤면 기진맥진하여 지치고 만다. 감각기관들이 엄청난 스트레스를 받은 것이다. 이런 과부하도 심해지면 스트레스 호르몬을 방출시킨다.

감각은 —적합한 방식으로 짐을 덜어주기만 하면— 강력한 에너지 통로가 될 수도 있다. 정상적인 경우 사람은 삶을 즐길 수 있도록 창조되었다. 감각은 삶을 풍성하게 만들어주기 위해 긍정적인 경험으로 이끄는 인도자다. 많은 느낌이 그런 식으로 행복감을 전달한다. 맛있는 과일의 미각, 향수의 기분 좋은 향기, 부드러운 감촉의 기쁨 등을 상상해보라.

오늘날 우리의 생활은 변했고 안락한 감각적 인상을 받기가 어렵게 되었다. 고층건물에 가려 석양이 보이지도 않는다. 매연이 향긋한 꽃향기를 가로막고 거리의 소음이 지저귀는 새소리를 대신하고 있다. 슈퍼마켓의 인공식품들은 우리의 감각이 원래 기대했던 자연제품의 맛과는 거리가 멀다. 이런 상황에서 우리는 최소한의 감각적 즐거움, 정신건강에 필요한 기쁨을 하루에 한 번도 맛보기가 힘들다.

우리가 정기적으로 게으름을 피운다면 감각기관을 재생시킬 수 있다. 감각을 위한 게으름이란 자연에 합당한 감각활동을 통해 자연이 주는 자극에 대한 감수성을 키우는 것이다. 다음 프로그램은 간단한

규칙적으로 충분히 자는 것도 감각을 위한 게으름이에요. 그러고 나면 감각기관이 훌륭하게 회복되거든요.

산책을 전신 감각 체험의 장으로 바꿔줄 것이다.

감각을 위한 산책

　자연을 찾아서 공원이나 숲, 가능하면 산속으로 간다. 이때 사람들이 너무 많은 곳은 피한다. 자연 속에서는 의식적으로 모든 감각기관을 사용한다.

－ 코 : 인간은 4,000가지의 냄새를 감지할 수 있다. 한 소재의 냄새를 맡기 위해서는 가스 형태의 구성물질이 들숨을 통해 코 안에 있는 냄새감지 영역에 도달한 다음, 그곳의 수용체들과 접촉해야 한다. 여기서 전기자극이 방출된다. 이 자극이 후각신경을 거쳐 뇌에 전달되면 감각이 인지한다. 후각을 담당하는 두뇌 영역은 감정도 맡고 있기 때문에 냄새와 기억이 서로 연관되는 일이 종종 발생한다. 의식적으로 코를 사용해서 킁킁 냄새를 맡아보라. 지금 무슨 냄새가 나는가? 녹색이 주는 신선한 냄새? 낙엽 썩는 냄새? 동물이나 버섯 또는 흙 냄새? 하루 중에도 시간에 따라, 또 계절에 따라 달라지는 냄새를 맡아보라. 의식적으로 코를 사용하면 더 많은 냄새를 맡을 수 있다. 특히 비가 오는 날의 공기는 향기로 가득하다. 자연의 향기가 얼마나 편안한 느낌을 주는지 직접 체험해보라.

－ 눈 : 우리 주변의 정보는 약 40%가 눈을 통해 인지된다. 눈은

밝고 어두운 것을 구별할 수 있으며 색을 파악하고 주위의 공간형상도 감지한다. 눈은 초당 15개의 영상을 구별할 수 있다. 이제 의식적으로 눈을 사용하라. 무엇이 보이는가? 숲속에서는 나무나 잎사귀들만 보이겠지만 점차 개개의 색 차이를 알아낼 수 있을 것이다. 자연과 하늘의 색에 주의를 기울이고 태양의 영향에도 관심을 가져보라. 안경을 쓴 사람이라면 한 번쯤 안경을 벗고 세상을 맨 눈으로 바라보라. 생각보다 훨씬 더 많은 것을 보게 될 것이다. 또 그렇게 하면 시력도 좋아진다.

- 귀 : 청각기관은 몸에서 가장 예민하고 다치기 쉬운 구조로 되어 있다. 그래서 내이(內耳, 귀의 가장 안쪽 영역)를 뼈로 잘 보호하는 것이다. 음파가 도착하면 조개 모양의 귓바퀴가 맞아들여 외이도(外耳道, 보통 귓구멍이라 불리는 통로)를 거쳐 고막에 다다른다. 고막이 진동하면 이 진동은 전기적 신경자극으로 변환되어 계속 전달된다. 이 자극들이 신경통로를 거쳐 뇌에 도착하면 여러 가지 청각 인상이 생겨난다. 주위에서 들려오는 소리들을 감지해보라. 풀 속에서 바스락거리는 소리, 바람이 나무들에게 속삭이는 소리, 새가 노래하는 소리, 개울이 나지막이 웅얼대는 소리가 들리는가? 소리가 변하는 것에 주의를 기울여보라. 물소리는 커지거나 낮아지고 높아지거나 깊어질 수 있다. 이런 현상에 귀 기울이다 보면 시간이 지날수록 점점 더 예민한 인지력을 가지게 될 것이다.

이런 식으로 이명, 귀울림 같은 청각장애를 예방할 수 있다.

이 같은 감각산책을 자주, 그리고 충분히 즐긴다면 자연의 힘을 더 많이 충전할 수 있으며 피로를 몰아내고 산뜻한 기분을 맛볼 수도 있다. 자연의 자극에 맞춰 감각기관을 재조정하면 감각기관이 한층 더 민감해져 지속적인 소음과 같은 과도한 부담으로부터 스스로를 보호하게 될 것이다. 이것이야말로 우리의 귀중한 감각기관이 너무 일찍 마모되는 불행한 사태를 가장 효과적으로 막아주는 방법이다.

일상생활의 파워 요인

삶의 소용돌이 속에서 안정을 유지하는 것은 쉬운 일이 아니다. 외부의 사건들이 점점 더 빨리, 압도적으로 밀려옴으로써 게으름을 피우며 생물학적 욕구를 만족시키면서 살고자 하는 우리를 방해한다. 하지만 생물학적 이기주의가 강할수록 일상에서 빼앗기는 힘과 에너지는 한결 더 줄어들 것이다.

신체노동이나 집중적인 운동을 할 때 사용하는 해당 근육의 에너지 수요는 편안히 휴식할 때보다 200배까지 늘어난다. 이는 그만큼

 자연을 감각의 힘이 샘솟는 원천으로 인식한 음악산업은 자연의 소리를 CD로 만들어 긴장완화용으로 팔고 있답니다.

의 산소와 에너지 수요의 증가로 연결된다. 이렇게 증가된 수요를 만족시키기 위해 신체의 모든 공급 시스템은 재빨리 적응한다. 심장은 더 빨리, 더 힘차게 뛰고 호흡도 깊고 빨라지며 근육의 혈관은 확장되고 에너지 전달자들도 준비태세를 갖춰야 한다. 이 모든 적응과정은 자율신경계에 의해 조절된다. 자율신경계는 개별적인 기관들에서 방출된 자극에 번개처럼 빠른 반사로 대응하며, 반드시 필요한 변화를 실행에 옮긴다. 이때의 자극은 스트레스 호르몬인 카테콜아민 아드레날린과 노르아드레날린을 통해 통제된다.

맥박은 에너지의 낭비를 알려주는 소중한 지표

정서적 부담도 카테콜아민의 방출을 야기하며 앞서 말했던 변화들을 일으킨다. 예를 들어 실제로는 신체노동을 통한 에너지의 추가수요가 발생하지 않았는데도 몸이 과속을 하면서 추월선으로 달리는 것과 같다. 그것은 순수한 에너지 낭비 그 자체다. 하지만 생명 배터리에 그러한 구멍이 생긴 것을 우리는 전혀 의식하지 못할 수 있다. 이런 사고를 방지하는 데 좋은 방법은 신진대사를 구체적으로 눈앞에 떠올리며 맥박을 재보는 것이다. 건강한 성인의 맥박은 평온할 때 분당 60~80번, 어린이는 90~100번, 노인이 되면 70~90번 뛴다. 맥박수는 신체적으로 힘든 일을 할 때나 정서적으로 흥분되어 있을 때, 그리고 신열 등의 질환이 생기면 증가한다.

 맥박 측정은 개인적인 에너지 함정의 정체를 밝힐 수 있는 매우 훌륭한 방법이에요.

피가 심장의 좌심실에서 나와 대동맥으로 흘러 들어갈 때 단기적으로 혈관벽을 늘리는 압력파장이 생긴다. 이때 손목이나 관자놀이 부근의 표면 혈관에 손을 대면 압력의 파장을 느낄 수 있다. 운동을 할 때는 심장의 주파수를 측정하는 기구로, 시계처럼 손목에 차는 맥박시계를 주로 사용한다. 맥박수는 가슴에 두른 두 개의 작은 센서를 통해 무선으로 측정된다. 심장 주파수 측정기는 다양한 종류가 시중에 나와 있으며 운동기구점 등에서도 쉽게 구할 수 있다.

평소에도 심장 주파수 측정기를 사용해보라. 컴퓨터 앞에 앉아 있다든가 전화로 대화를 나누는 등 에너지 추가분이 특별히 필요하지 않은 상황인데도 맥박수가 얼마나 자주 위로 솟구치는지 깜짝 놀랄 것이다. 이렇게 맥박이 빨라지는 상황을 잘 알게 되면 자연히 그에 따른 에너지 낭비를 피할 생각을 하게 되고, 글자 그대로 '저속 기어'로 달리게 된다.

불안할 때나 건강이 염려스러울 때는 심장 주파수 측정기 실험에 앞서 의사의 진찰을 받아보는 것이 좋다. 그렇게 하면 맥박수가 갑자기 치솟기 시작해도 불안하지 않을 것이다. 손목 위에 손가락을 대고 맥박을 직접 재볼 수도 있다. 맥박을 자주 재다보면 상황에 따라 맥박의 느낌이 달라지는 것을 느낄 수 있다. 예를 들어 긴장을 풀어주는 음악을 들을 때면 맥박이 뛰는 느낌이 명확하고 완벽하지만 마음이 바쁘고 정신이 없을 때는 분명히 느껴지지 않는다. 한의학에서는 맥박이 중요한 진단수단으로 통한다.

여기서 잊지 말아야 할 점은 체내의 모든 과정은 그 반복횟수가 제한되어 있다는 것이다. 심장 박동도 마찬가지다. 그러므로 불필요하게 심장을 뛰게 하지 말아야 한다는 점을 늘 기억하라!

일상에서 에너지 섬을 마련하라

이 책을 읽으며 생물학적 게으름의 법칙을 어느 정도 내면화한 사람은 생활을 좀더 가볍게 만들기 위해 몇 가지 아이디어를 갖게 되었을 것이다. 커다란 변화를 모색할 필요는 없다. 다만 작은 에너지 섬을 만들면 그것으로 충분하다. 그것은 삶의 참된 황금 광산으로, 힘과 에너지를 공급해줄 것이다.

비즈니스 요가

요가는 자신의 중심을 회복할 수 있는 뛰어난 방법이다. 조금이라도 시간을 낼 수 있다면 다음에 소개하는 방법을 매일 연습해보자.

INFO

호흡 리듬에도 주의를 기울인다

호흡도 체내의 에너지가 얼마나 빨리 흐르는지 알려준다. 가슴이 오르내리는 것을 세거나 단순히 들숨, 날숨을 세는 것만으로도 호흡 리듬을 알아낼 수 있다. 들숨 한 번과 날숨 한 번은 합해서 호흡 한 번이 된다. 성인은 평온한 자세에서 평균 분당 18번 호흡한다. 몸과 마음이 부담스러운 상태에서는 호흡주파수가 올라간다. 일상생활에서 당신의 호흡 리듬에 주의를 기울여 그 빈도수와 깊이를 살펴보라. 이때 가능하면 천천히, 그리고 깊이 호흡하도록 한다.

- 흔들기 : 신발을 벗고 서서 두 발 사이에 손 하나가 들어갈 만큼 벌린다. 평소에 어떻게 서 있는지 자신의 자세를 느껴본다. 나는 똑바로 서 있는 편인가? 몸을 흔들거나 앞뒤로 몸을 기울이지는 않는가? 그 다음에는 발바닥으로 바닥을 느끼며 나무가 된 것처럼 바닥에 '뿌리'를 내린다. 그리고 나서 몸을 아래로 흔들어 내리는데, 무릎을 가볍게 꿇게 될 때까지 계속한다. 이때 어깨도 아래로 흔들어준다. 이 동작을 처음에는 매우 천천히, 그리고 점점 빨리 한다. 얼굴의 긴장도 푼다. 모든 짐이 당신으로부터 떨어져 나가며 훨씬 안정되고 느긋해짐을 느낄 수 있을 것이다. 이와 같은 연습을 약 10분간 한다. 이 방법은 긴장완화에 매우 효과적이어서 중요한 대화 전이나 잠자기 전에 하면 좋다.
- 뇌를 청소한다 : 이 연습은 책상에 앉은 채로 할 수 있다. 오른손이나 왼손의 엄지와 중지로 코를 잡고 검지는 코가 시작되는 두 눈 사이에 둔다. 손가락으로 콧구멍 하나를 막고 다른 콧구멍 하나로 숨을 깊숙이 들이마신다. 그리고 나서 호흡이 이마 뒤에서 맴도는 것을 느껴본다. 이제 막았던 콧구멍을 열고 호흡을 깊이 내보낸다. 콧구멍의 순서를 바꿔가며 이 연습을 반복한다. 이렇게 몇 번 반복하면 개운하고 상쾌한 느낌이 들 것이다.
- 눈을 이완시킨다 : 의자에 편안히 앉아 팔꿈치로 몸을 받친다. 두 눈을 감고 손을 교차시켜 눈을 가린다. 이때 눈을 누르거나 압박하지 않는다. 눈에 느껴지는 온기와 눈에 보이는 어둠에 정신을

집중한다. 이 연습은 매일 30분씩 여러 차례에 걸쳐 반복한다. 눈과 온몸의 긴장완화에 큰 도움이 될 것이다.

- 나무자세 : 나무는 생명의 상징이다. 나무의 뿌리는 땅속 깊이 박히고 그 봉오리는 하늘의 빛을 향한다. 건강한 나무는 힘과 에너지의 조화를 발한다. 나무자세를 통해 우리는 에너지를 충전하고 건강의 조화를 회복할 수 있다. 우선 신발을 벗고 똑바로 선다. 발바닥으로 땅을 느끼며 뿌리를 내리는 상상을 한다. 이제 긴장을 풀고 몸을 똑바로 세운다. 체중을 왼쪽 발에 쏠리게 한다. 오른발을 들어 왼발에 대는데, 오른발의 앞꿈치가 왼발의 발등에 닿고 뒤꿈치가 왼쪽을 보도록 한다. 땅에 뿌리를 내린 채 두 손을 합장하여 가슴 앞에 두었다가 천천히 머리를 지나 하늘에 닿을 듯 위로 올린다. 이 자세를 몇 분간 유지하며 의식적으로 호흡을 깊이, 그리고 천천히 한다. 잠시 후 발의 방향을 바꾸어 반복한다.

- 어깨 근육을 푼다 : 이 연습도 사무실에서 잠깐 틈을 내어 할 수 있다. 우선 두 다리를 약간 벌린 채 똑바로 서서 팔을 들어 손가락을 어깨 위에 올린다. 팔의 윗부분이 수평을 유지하도록 노력한다. 그리고 난 후 팔의 윗부분을 앞뒤로 움직인다. 팔이 뒤로 갈 때는 숨을 들이쉬고 팔이 앞으로 갈 때는 숨을 내쉰다. 이 동작을 유연하게 여러 번 반복하며 호흡을 점차 깊이 한다. 이 연습은 가슴을 확장시키고 등의 윗근육을 활성화하며 복식

호흡을 깊게 해준다.
- 목운동 : 앉은 자세에서 고개를 앞으로 떨군다. 그리고 나서 머리를 가볍게 좌우로 움직인다. 목의 근육이 풀리는 것을 느낄 수 있을 것이다.
- 책상 앞에서 수영하기 : 의자에 똑바로 앉는다. 팔로 수영 동작을 하는데, 천천히 의식적으로 움직인다. 이 연습은 팔과 어깨, 등의 윗부분의 긴장을 풀어줄 것이다.

즐거운 피트니스
운동에 투자할 시간이 없다면 줄넘기와 트램펄린, 훌라후프를 시도해볼 수 있다.

- 줄넘기 : 창문을 열어놓고 줄넘기를 하며 컨디션을 조절한다(이는 언제 어디서나 잠깐만 틈을 내면 할 수 있지만 소음이 생길 수 있으므로 이웃사람에게 방해되지 않는 시간대를 택함). 5~10분만 뛰어도 혈액순환이 좋아지고 피로와 순환장애가 사라질 것이다. 조그마한 양탄자 조각과 줄넘기 또는 운동화만 있으면 충분하다. 물론 맨발로 해도 좋다.
- 훌라후프 : 요즘은 어디서나 훌라후프를 살 수 있다. 훌라후프를 구입해 허리와 엉덩이로 돌린다. 물론 이때 약간의 연습이 필요하다. 훌라후프는 척추를 부드럽게 해주어 늘 앉아 있는 생활에

줄넘기는 사무실은 물론 출장 중에도 잠깐의 휴식시간 동안 할 수 있는 이상적인 운동이에요. 게다가 줄넘기는 어떤 서류가방에도 들어간답니다.

부족한 균형을 맞춰준다. 매일 아침 저녁에 훌라후프를 5~10분씩 돌리면 척추의 에너지 흐름이 개선되는 것을 느낄 수 있다. 또한 훌라후프는 날씬한 허리를 유지시켜 주는 효과도 크다.

– 트램펄린 뛰기 : 직경 20센티미터, 높이 1미터의 미니 트램펄린 위에서 뛰는 뜀뛰기도 빠른 시간 내에 즐길 수 있는 훌륭한 운동이다. 미니 트램펄린은 운동기구점에서 구입할 수 있다. 매일 아침 저녁으로 트램펄린 위에서 부드러운 뜀뛰기를 한다. 트램펄린 뜀뛰기는 근육을 풀어주고 혈액순환을 상승시키며 심장과 폐의 활동을 개선시켜 주는 동시에 운동 부위에 무리가 가지 않도록 해준다. 트램펄린 뜀뛰기는 공격성 해소에도 뛰어나다.

나만을 위한 시간

매일 나만을 위한 시간을 준비한다. 중요한 사업상의 약속을 위해 시간을 내듯 나만을 위한 시간을 소중히 여겨야 한다. 10분, 1시간, 아니 2시간이어도 좋다. 그 시간에는 하고 싶은 일을 한다. 좋은 책을 읽거나 명상을 하거나 사우나, 산책, 전시회 관람도 좋다. 아무것도 하지 않고 마냥 게으름을 피우는 것도 상관없다. 그러고 나면 오로지 나만을 위한 미니 작전 타임의 긍정적인 효과를 곧 느낄 수 있을 것이다. 매일 잊지 말고 나만을 위한 시간을 가져보자.

비가 오는 주말은 규칙적인 미니 작전 타임을 하루 종일 연장시킬 수 있는 절호의 기회죠. '게으름의 날'을 보내고 나면 짧은 휴가를 다녀온 듯한 기분이 들 거예요.

제6장

게으름의 역동적 힘

게을러야 부자가 된다

게으름의 법칙에 따라 살다보면 귀중한 재산, 즉 수명이 연장되면서 시간을 얻을 수 있다. 삶의 모든 단계에서 돈은 직장에서의 승진, 주식투자의 성공 또는 단순한 행운 등을 통해 증식할 수 있지만 시간은 그렇지 않다. 일단 지출돼 시간은 다시 돌아오지 않는다. 하지만 생물학적 게으름의 원칙을 실천하는 사람은 수명을 연장시킬 수 있다. 우리는 이 귀중한 재산을 조심스럽게 다뤄야 할 것이다.

느림의 발견

시간은 손으로 잡을 수 없지만, 우리의 삶에 극적인 영향을 미친다. 시간을 죽이거나 그냥 때우려 하는 사람도 있고 시간을 경영하려는 사람도 있다. 10~15년 전만 해도 가장 짧은 시간에 가장 많은 일을 완수하는 방법을 배우기 위한 세미나들이 성황을 이루었다. 그러나 오늘날에는 생활의 빠른 속도가 많은 대가를 요구한다는 점을 점차 인식하게 되었다. 많은 세미나 진행자들이 이미 '시간 경영'이란 개념 자체가 결정적인 오류임을 깨닫고 있다. 시간은 경영의 대상이 아니다. 근본적으로 볼 때 조직하고 변화시킬 수 있는 것은 자기 자신뿐이다. 시간이 경영의 개념이었던 이제까지와 달리, 개인적인 시간을 다루는 방법을 찾기 위한 노력에서 중요한 것은 시간 배분과 시간 계획의 최적화가 아니다. 즉 '합리화'가 아니라 '민감화'가 우리 시대의 슬로건이다. 시간에 관한 자신의 생각이 문제였음을 깨닫고 인정하는 사람만이 무엇인가를 변화시킬 수 있다. 하지만 그것 역시 시간이 필요한 과정이며 자기 자신과 자신의 시간에 대해 애정을 요구하는 과정이다.

본질적인 것에 집중

시간 경영의 전문가로 뛰어난 명성을 누리고 있는 로타 자이베르트 박사는 '삶의 모자'라는 구상을 개발했다. '삶의 모자'란 우리가 직장생활과 사생활에서 맡게 되는 모든 역할에 대한 비유다. 우리는 살아가면서 모자를 쓰듯 자신에게 주어진 역할을 수행한다. 그런데 동시에 여러 개의 모자를 써야 하는 일이 자주 일어난다. 예를 들어 직장에서는 그룹의 리더이자 이사회의 일원이고 프로젝트 진행자가 된다. 사생활에서도 우리는 여러 개의 모자를 쓴다. 남편(아내)이자 아빠(엄마)이고 주방일을 즐겨하는 요리사이자 이웃이며 친목회의 회원이자 친구이기도 하다. 자이베르트 박사는 오늘날 사람들의 시간문제, 즉 삶을 고속으로 통과해가는 현상의 원인은 동시에 너무 많은 일에 몰두하는 탓이라고 진단한다. 수많은 직업적 활동만 우선시하다 보면 건강과 가정, 친분, 문화생활과 취미는 삶에서 자취를 감추고 말 것이다. 그러면 직업생활과 사생활 사이에 균형을 잃고 만다.

149

가장 잘하는 일, 가장 즐거운 일을 하세요.
인생 전체로 보았을 때 가장 큰 효과를 낼 수 있는 일에 힘을 집중해보세요.

최근 들어 많은 사람이 시간의 질에 대해 점점 더 강렬한 소망을 갖게 되었다. 보다 높은 질의 시간이란 나를 위한 시간, 가정과 여가 활동 또는 단순히 게으름 피울 수 있는 시간을 말한다. 자이베르트 교수는 삶의 모자와 같은 역할의 수를 최대한 7로 제한하라고 제안한다. 직장생활과 사생활에서 지속적으로 본질적인 것에 집중할 때만이 성취와 균형, 그리고 성공이 보장된다. 물론 우리는 부모의 역할과 같은 특정한 역할, 특정한 모자는 절대로 벗지 않을 것이다. 하지만 그 외의 수많은 역할은 적당히 취소하거나 줄이는 것이 가능하다. 간단히 말해서 현대의 우리는 너무나 많은 것을 원한다. 정상적인 직업생활을 하는 사람은 여러 가지 취미활동을 할 시간과 여유가 없다. 그럼에도 불구하고 시간의 질을 높이고자 여러 방법을 시도한다면 그 대가는 생명 에너지, 건강, 궁극적으로는 수명의 연장으로 찾아올 것이다.

전체를 사는 삶

자이베르트 교수는 성공적인 인생의 비결은 전체적인 시간관리, 인생관리에 있다고 강조한다. 그것은 몸, 의미, 교류, 능력, 일의 제반 영역이 균형을 이루어야 한다는 뜻이다. 개별적인 삶의 영역들은 서로 의존관계에 있다. 직업 영역을 일방적으로 강조하다 보면 개인적

하루에 쓸 수 있는 시간이 한정되어 있다는 걸 명심하세요. 궁극적으로 당신의 인생 전체에 대해서도 마찬가지랍니다.

인 즐거움이나 건강, 사적인 교류나 관계가 소홀해진다. 장기적으로 볼 때 명확한 의미지향점과 가치관이 없으면 개인적인 동기와 능률이 급격히 감소하게 된다.

1~2개 삶의 영역에서 불균형이 생기면 다른 영역에도 영향을 미친다. 능률과 직업에 지나치게 큰 비중을 두면 크든 작든 건강에 문제가 생기고 가정적으로나 사적 관계에 갈등이 생기며 때로는 의미의 위기가 올 수도 있다. 한편 의미 추구에만 몰두하고 의식 확장을 위한 여행을 계속하는 사람은 삶의 다른 영역들을 살필 여유가 없다.

능력이 전부가 아니다

대부분의 사람에게 가장 중요한 것은 물론 직업이다. 직업 영역에서는 능력이 곧 칭찬, 사회적 인정, 높은 수입으로 직결된다. 이런 정황으로 인하여 직업 영역은 삶에서 점차 큰 자리를 차지하고 있다. 신체적으로 건강하고 능력 발휘에 이상이 없는 한 사람들에게 건강은 별다른 관심사가 아니다. 하지만 몸의 일부, 예를 들어 심장이나 위가 정상적인 활동을 멈춘다면 건강이 얼마나 중요한지 곧 깨닫게 될 것이다. 그리하여 점점 더 많은 사람이 엄청난 시간을 건강유지나 회복을 위해 바칠 수밖에 없게 된다. 하지만 건강의 목표가 더욱 높은 직업적 능력 발휘를 위한 경우도 드물지 않다.

INFO

2001년 9월 11일 뉴욕의 세계무역센터에 가해진 테러는 외적 가치와 상징들이 얼마나 쉽게 공격받을 수 있는지를 충격적인 방식으로 보여주었고, 이로써 사고의 전환과정을 출발시켰다. 사람들의 관계는 더욱 가까워졌고 가정과 친구의 귀중함을 깨닫고 있다. 교회와 종교단체를 찾는 사람들의 수도 늘어났다.

일반적으로 이런 상황에서는 부부간의 교류나 자녀, 친구, 부모, 그리고 다른 사람들과의 관계가 무시되기 쉽다. 우리 인생에 의미를 부여하는 가치 또는 개인적인 목표에 관한 질문도 크게 주목받지 못한다. 그런 영역들은 대개 직업이란 과중한 영역 밑에 복속된다.

창조적인 잠재력을 일깨운다

성공한 사람들을 보면 시간을 정확히 계획하는 사람들이 많지 않다. 그와는 반대로 오히려 충분한 시간과 여유를 즐기며 자신의 생각과 개인적 창의성에 중점을 둔다. 새로운 아이디어와 창조적 사고 —두뇌 연구자들의 연구 결과에 따르면— 는 오른쪽 뇌에서 생겨난다. 왼쪽 뇌는 명확하고 분석적인 사고를 하고 오른쪽 뇌는 꿈, 직관, 연상, 창조적 사고 등 비논리적인 의식 영역을 담당한다. 현대적인 경영 테크닉은 오른쪽 뇌에 숨어 있는 잠재력을 발견하고 창조성 코스를 제공한다. 창조성 코스에서는 여러 훈련을 통해 양쪽 두뇌의 조화를 회복시키는 법을 배울 수 있다.

오른쪽 뇌의 활동을 도울 수 있는 간단한 방법은 생물학적 게으름을 실천하는 것이다. 창조적 활동에 몰두하는 동안에는 왼쪽 뇌에 있는 이성을 잠시 꺼둔다. 그러고는 음악을 듣고 미술관에 가며 도자기, 그림 그리기, 정원 가꾸기 등의 공예적 취미활동을 하거나 아니면 그냥 빈둥거리며 게으름을 피운다. 이런 방식으로 우리는 오른쪽 뇌를 집중적으로 자극하며 창의적 아이디어를 위한 발판을 마련한다. 이렇게 하면 삶이 좀더 풍요로워진 느낌을 받을 것이며, 외적으로 심하게 투쟁해야 할 많은 문제를 내적으로 이미 해소할 수 있다.

그림 그리기 — 무의식으로 향한 길

그림 그리기는 나이에 상관없이 창의력을 훈련시킬 수 있는 뛰어난 방법이다. 아이들은 그림을 그리라면 좋아서 날뛰지만, 어른들은 그림을 그리지도 않거니와 그리는 경우에도 매우 소극적이다. 하지만 누구든 그림을 그릴 때는 내면생활을 한 조각 드러내게 된다. 말기암에 걸린 중환자들은 매우 감동적인 그림을 그린다. 전혀 의식되지 않았던 감정, 자신에게 결코 허용하지 않았을 감정들이 그림을 그릴 때 터져나온다.

그림 그리기는 예술품을 생산하는 것이 목표가 아니다. 그저 물감과 붓을 쥐고 자신의 창의력과 내적 충동을 마음껏 펼치면 된다. 이렇듯 자유롭게 방출된 창조력은 대개 심층에 고여 있거나 유감스럽게도 마음속 깊이 감춰두었던 갈망을 조용히 만족시킨다. 그것은 마

그림을 그리면 생의 위기를 극복하는 데 도움이 된답니다.
게다가 일상의 삶이 던지는 요구들을 가볍게 대할 수 있죠.

치 무의식의 밸브와도 같다. 그림을 그리는 동안 우리는 이제까지 보지 못했던 내적 삶의 면모들과 마주치게 된다. 예술적 창조행위는 상상의 세계와 현실 간에 다리를 놓는 것이며, 슬픔과 상실감을 흘려보내고 희망과 새로운 용기를 선사하는 것이다.

생물학적 예비분을 저축한다

생물학적 게으름을 실천하면 수명만 연장되는 것이 아니라 생물학적 예비분까지 선사받게 된다. 다시 말해 신체의 잠재력, 즉 긴급상황을 위한 비축분을 소유하는 것으로 재생과 회복의 속도가 빨라짐을 의미한다. 자신의 몸을 늘 한계상황까지 몰고 가는 사람은 병에 걸리는 등 극단적인 스트레스 상황에서 사용할 수 있는 추가분이 거의 없다. 평소에 빨간 불이 켜지기 직전까지 무리했던 사람들은 몸에 조금만 무리가 와도 한계상황에 도달하여 병에 걸리거나 에너지 부족상태에 빠진다. 반면에 생물학적으로 이상적인 생활을 실천해온 신체는 사고나 부상을 입었을 때 피로에 지친 유기체보다 재생과 회복의 속도가 빠르다. 생물학적으로 게으른 사람은 언제나 바쁘고 스트레스에 찌든 사람보다 영혼의 저항력도 훨씬 강하다.

자신의 몸을 어떻게 관리하고 다루어야 하는지는 오늘날 대부분의

생물학적 게으름이란 유기체를 조심해서 다루고 도우며, 무리한 부담을 주지 않는 거예요.

사람이 알고 있다. 규칙적인 운동, 합리적인 식생활, 충분한 수면, 위나 간 같은 개별 장기에 과도한 부담을 주지 않는 등 건강관리에 대한 충분한 정보를 이미 가지고 있다. 자신의 장기에 너무 많은 것을 요구하지 않고 의식적으로 개별 장기에 적당한 방식의 휴식을 허용하는 생활을 한다면 우리의 몸은 위급한 상황에서도 순탄한 기능으로 보답할 것이다. 하지만 보통의 경우 우리가 별다른 관심을 기울이지 않는 장기가 있는데, 뇌가 바로 그것이다. 뇌에 관한 한 과학도 이제 막 출발선을 떠났을 뿐이다.

뇌를 위한 피트니스 프로그램

우리가 이 글을 읽는 동안에도 몸 안에서는 수백만 개의 화학반응이 일어나고 있다. 뇌가 어떤 일을 감당하는지 상상이 어려울 정도다. 다른 기관들과 달리 뇌는 우리가 삶을 편안히 느끼는지 불편하게 느끼는지 여부를 결정한다. 이때 행복감을 주는 호르몬이 주로 말을 하는데, 우울하게 만드는 전달물질도 나름대로 명확한 언어를 가지고 있다. 우리가 기쁜지 슬픈지를 결정하는 것 역시 뇌다. 뇌에서는 주위환경과의 커뮤니케이션이 일어난다. 정보를 저장하고 나중에 다시 불러내는 뇌의 능력은 기억이라고 불리며 사회생활의 근본특성에 속한다. 기억은 단기기억과 장기기억으로 구분할 수 있다. 단기기억에서는 기억을 몇 시간 또는 며칠간만

INFO

인간의 뇌는 100억 개의 뇌세포로 구성되어 있다. 뇌의 무게는 평균 남성의 경우 1,400그램, 여성의 경우 1,250그램이다. 뇌는 체중의 2%에 불과하지만 다른 신체조직의 10배에 해당하는 에너지를 밤낮 쉴새없이 소비한다.

저장했다가 지워버리고, 장기기억에서는 특정한 메시지 또는 체험이나 학습내용이 평생 기록되며 거의 지워지지 않는다. 그래서 어릴 적 학교에서 배운 시가 수십 년 뒤에도 암송이 가능한 것이다.

나이가 들면 뇌와 신경 시스템도 변한다. 뇌는 나이가 들면 무게가 약간 줄어든다. 20대 남자의 뇌의 평균 무게는 약 1,400그램이지만 60대에는 평균 1,335그램에 불과하다. 그 이유는 한 번 상실된 신경세포는 두 번 다시 재생되지 않기 때문이다. 세월이 흐르면서 갈색 폐기물이 신경세포 안에 쌓이는 것도 뇌의 마모를 부추긴다. 또한 모세혈관 시스템을 통한 영양공급과 혈액순환도 서서히 줄어든다. 이 모든 변화가 노화로 인한 건망증, 노년의 인격 변화, 적응력 부족, 비탄력적인 고집 등을 야기한다. 하지만 우리는 뇌의 마모를 막을 수 있다. 다음에 소개하는 보호 프로그램을 깔면 '하드웨어'인 뇌의 구조를 아낄 수 있다.

- 모든 종류의 스트레스, 특히 산화성 스트레스를 피한다.
- 뇌는 올바로 작동하기 위해 산소를 필요로 한다. 따라서 규칙적으로 신선한 공기를 마시며 운동을 하여 회색 뇌세포로 에너지를 펌프질한다. 또한 뇌에 산소부족을 일으키는 니코틴을 피한다.
- 충분히 마신다. 그러면 피가 묽어져서 더 많은 영양분과 산소

가 뇌로 공급될 수 있다.

– 뇌는 우리 에너지의 5분의 1을 소비하므로 음식을 충분히 먹어
  야 한다. 특히 뇌와 신경을 위한 영양분으로는 정제하지 않은
  곡물제품(비타민 B 함유), 생선(오메가 3 지방산 함유), 계란(레시
  틴, 콜린 함유), 견과류(미량원소 Bor 함유) 등이 있다. 이런 음식
  들을 충분히 섭취하면 뇌가 밝게 깨어난다.
– 잠을 충분히 자도록 유의한다. 뇌세포는 재생을 위해 반드시
  이완이 필요하며 부담스러운 것을 소화하기 위해서 꿈꾸는 것
  도 좋다.

뇌의 '소프트웨어'인 기억기능에는 하드웨어인 뇌의 구조와 정반
대의 것들이 필요하다. 다시 말해 아껴주는 것이 아니라 훈련시켜야
한다. 규칙적인 정신활동은 사고기관을 고령에 이르기까지 민첩하고
능력 있게 유지시켜 줄 수 있다.

157

– 더 이상 직업활동을 하지 않을 때부터 규칙적으로 뇌를 훈련시
  켜야 한다. 빈칸 메우기 퀴즈, 외국어 학습 등은 뛰어난 기억력
  트레이닝 방법이다.
– 텔레비전보다는 좋은 책을 읽는다. 독서를 하면 창의력과 상상
  력이 촉진되지만 오랫동안 텔레비전을 보면 뇌는 건강에 해로
  운 절약 프로그램에 들어간다.

조깅을 하면 몸이 민첩해지듯이 뇌의 조깅도 정신적 민첩성을 높여준답니다.

- 뇌를 민첩하게 해주는 게임들이 많다. 여럿이 게임을 즐기면 기분 또한 좋아지는데, 이 역시 뇌를 민첩하게 해주는 효과가 있다.
- 악기를 배운다. 악기 연주를 통해 뇌와 손, 속도와 박자가 서로 맞도록 조율하는 법을 배우게 된다.
- 언제 어디서나 실천할 수 있는, 간단하지만 효과적인 사고훈련 법이 있다. 긴 단어를 하나 적은 다음(머릿속에 적거나 연필로 종이에 적어도 좋음) 그 단어의 문자로 새로운 단어들을 만드는 것이다. 예를 들어 '소나무'에서는 소, 나무, 무, 나, 무소 등을 만들 수 있다.
- 주위환경을 늘 의식적으로 살피고 가능하면 상세한 부분을 기억한다. 그리고 앞에서 설명한 '감각을 위한 산책'(137쪽 이하 참조)을 실천한다. 감각을 위한 산책은 감각기관에 좋을 뿐 아니라 뇌에도 긍정적인 영향을 미친다.
- 사회적 친분을 가꾼다. 사람들과 만나 즐기는 동안 네트망화된 사고, 빠른 반응 등 복잡한 뇌기능을 훈련시킨다. 그러면 새로운 상황에 자연스레 적응할 수 있다.

INFO

매초 1억 바이트의 정보가 외부에서 뇌로 밀려들어 온다. 커피 향기를 맡을 때는 초당 20바이트, 그림을 볼 때는 1천만 바이트가 들어온다. 하지만 뇌는 3초마다 새로운 메시지를 수용할 수 있을 뿐이므로 선택이라는 것을 해야 한다. 감각적 자극이 넘치면 뇌는 '망각'을 통해 자신을 보호한다.

생물학적 비축분을 소모하는 악덕들

술, 커피, 담배

이 세 가지는 많은 사람의 일상에 속하며 스트레스를 없애고 기분을 좋게 한다는 이유로 사용된다. 술이나 커피는 소량만 즐기면 건강을 거의 해치지 않으며 생의 기쁨에 플러스 효과를 얻을 수도 있다. 하지만 규칙적으로 다량의 술을 소비하고 과도한 양의 커피를 마시는 사람은 건강을 해칠 확률이 높다. 특히 위험한 것은 흡연이다. 흡연은 폐암에 걸릴 위험은 물론, 스트레스 호르몬인 코티솔의 방출을 높여준다.

과식

체중과다는 수명을 크게 줄인다. 통계에 의하면 체중과다는 1%당 수명이 약 0.2년(정확히 62일) 줄어든다. 정상체중이 70킬로그램인 사람이 실제로는 85킬로그램이라면 그는 정상수명보다 약 3.5년 일찍 죽게 된다. 과다 체중량이 35킬로그램에 이르면 사망률은 약 150% 높아진다. 지금으로부터 50년 전, 프랑스의 과학자들은 상체에 지방이 많은 사람은 심장질환, 당뇨병 등의 질환에 걸릴 확률이 높다는 것을 알아냈다. 하지만 컴퓨터 토모그래피가 도입되고 난 뒤에는 특별한 종류의 지방, 즉 복부의 장기에 있는 지방이 이들 질병과 밀접한 관계가 있음이 밝혀졌다. 몸의 크기와 상관없이 허리 둘레가 여성의 경우 90센티미터, 남성의 경우 100센티미터를 넘으면 위험하다. 하지만 좋은 소식도 있다. 그것은 신진대사에 매우 활발한 지방이기 때문에 운동을 하면 빨리 연소된다.

일 중독

스트레스와 명예욕은 자신의 신체적 욕구를 완전히 무시하고 억누를 수 있는 가장 강력한 욕구다. 일만을 위해 사는 일 중독자는 생명 배터리가 급격한 속도로 방전되어 결국 완전히 무너지고 만다.

제7장

생의 위기는 에너지 위기

갈등은 생명의 구성성분을 갉아먹는다

병치레가 잦고 컨디션이 나쁜 사람들을 보면 전반적인 생활 경영의 법칙을 자주 어긴다는 것을 알 수 있다. 늘 아픈 사람을 주의 깊게 살펴보면 일상생활에서 자신의 유기체를 한계상황까지 몰아가며 재생 과정에 필요한 힘을 빼앗고 있다. 친구가 없다거나 애인이 없어서 불만인 사람들을 보면 직업이나 피트니스가 삶에서 너무도 과중한 공간을 차지하여 다른 사람들과 교류할 시간이나 기회가 없다.

사람들은 대체로 돈을 조심스럽게 다룬다. 싼값에 물건을 사고 절약하려고 노력한다. 돈을 낭비하지 않는 것이 가장 중요한 과제다. 하지만 자신의 에너지에 대해서는 정반대의 태도를 보인다. 많은 사람이 아무런 걱정도 없이 자신의 에너지를 함부로 낭비한다. 에너지가 끝없이 샘솟기라도 하듯이 말이다. 하지만 그건 당신도 이미 알고 있듯이 크게 잘못된 생각이다.

우리의 에너지는 늘 넘쳐나는 샘이 아니라 한계가 있는 창고와 같다. 그러므로 조심스럽게 다루는 것이 마땅하다. 에너지의 낭비는 능력을 저하시킬 뿐 아니라 신체에 귀중한 구성성분을 빼앗아간다. 우리 몸이 지금 감당하고 있고, 또 앞으로 감당해야 할 일들은 바이오 연료를 필요로 한다. 다음 표를 살펴보자.

에너지 도둑	소비량의 증가
흡연	비타민 C
다량의 음주	마그네슘, 아연, 비타민 B
환경오염	항산화제
임신	특히 엽산, 비타민 B, 칼슘, 철
화, 분노	비타민 C
흥분, 불안	비타민 B_6
지속적인 스트레스, 과도한 업무	마그네슘, 판토텐산, 비타민 A, 비타민 C, 셀레늄
집중적인 정신노동	비타민 E, 셀레늄, 비타민 B_{12}, 비타민 B_6, 아연
과도한 운동	항산화제, 칼륨, 칼슘, 마그네슘, 아연, 단백질
근심, 걱정	아연
운동 부족, 전자파	멜라토닌
감염	비타민 A, 비타민 C, 아연
햇빛 부족	비타민 D_3
영양 결핍 (패스트푸드, 다이어트, 한 가지 위주 식사)	효소 Q_{10}, 엽산, 비타민 B_{12}
수면 부족	DHEA
신경과민	마그네슘, 칼슘, 철, 비타민 C

컴퓨터 모니터 앞에서 하는 작업은 비타민 A와 비타민 B_2, 그리고 아연의 소비를 높이죠.

그밖에도 몸에 과해지는 부담이 커질수록 단백질 소비가 늘어난다. 단백질은 수많은 호르몬과 전달물질, 면역체계 요소들, 피부와 머리카락 등의 구성성분이다. 단백질 마모도가 상승하면 장기적으로 유기체의 균형이 깨지고 만다.

조심하라, 구멍이 나서 에너지가 새나간다

에너지 낭비는 제때제때 예방하라. 생명 배터리에 난 구멍을 발견 즉시 메워 귀중한 생명연료가 쓸데없이 새나가지 않도록 한다. 다음 증상들은 대체로 생명 에너지가 사용되지 않은 채 흘러나가고 있다는 표시다.

- 불안, 불안정한 상태
- 과민성, 공격성
- 사는 즐거움을 상실
- 수면장애, 기진맥진, 피로
- 근육의 긴장으로 인한 만성적인 두통, 어깨와 등의 통증
- 감염성 질환에 잘 걸림
- 긴장성 두통

- 심장이 두근거림
- 설사
- 계속 입안이 마름
- 땀이 많이 남
- 습관의 변화(특히 술, 담배, 커피 등 기호품의 소비가 늘어남)
- 집중력이 떨어짐
- 입맛이 없음
- 심한 허기가 느껴짐
- 혈액순환의 장애
- 신경과민
- 능력저하
- 위의 통증
- 말을 더듬거나 신경질적으로 웃음
- 소변이 자주 마려움
- 잘 다침
- 매우 조급함
- 희망이 없고 스스로를 의심함
- 권태롭고 매사에 무관심

본인이나 가까운 사람에게 이런 증상이 확인되면 일상에서 에너지가 저하되는 지점을 찾아내야 한다. 또한 다시 한 번 게으름의 법칙

 생활의 갈등을 성공적으로 해결하세요. 그러면 생명 에너지를 절약하게 되죠. 혼자 힘으로 할 수 없다고 느껴지면 전문가의 도움을 받는 것이 좋아요.

을 생각하고 유기체 탱크를 차례차례 충전한다. 이런 증상은 절대 무시해서는 안 되며 반드시 진지하게 생각해야 한다. 필요한 경우에는 의사의 도움을 받는 것이 좋다.

미세요소의 전쟁─에너지 도둑

만나면 왠지 힘이 빠지는 사람이 있고 왠지 모르게 기분이 좋지 않은 장소가 있다. 또한 어떤 날, 어떤 상황에 닥치면 에너지가 그냥 흘러나가는 경우도 있다. 이런 현상은 과학적으로는 측정할 수 없다. 하지만 에너지는 비물질적인 통로를 통해서도 밖으로 나갈 수 있다. 다시 말해 신체적, 정신적으로 명백한 작업이 없었어도 몸 밖으로 유출될 수 있다. 우리는 이를 '미세요소의 전쟁'이라고 부른다.

사람은 누구나 자연스러운 정신적 보호막을 가지고 있다. 이와 같은 자연의 정신적 보호막을 '아우라'라고 한다. 아우라는 사람을 비춰주는 거울과 같아서 아우라를 소유한 사람의 건강과 생각, 매력을 반사한다. 사람은 아우라로 다른 사람들을 가까이 당기기도 하고 멀리 밀치기도 한다. 아우라는 위험으로부터 우리를 보호해주고 영적 에너지가 결핍되지 않도록 막아준다. 이 에너지 보호막이 없다면 의

INFO

부정적 감정들과 심장마비

심리학자들은 명예욕, 일 중독, 시간적 압박감에 시달리는 사람이 전형적인 심장마비 후보자라고 믿어왔다. 오늘날에는 이에 관해 더욱 상세히 알게 되었다. 적대감, 분노, 냉소주의가 심장에 가장 큰 부담을 준다. 그러므로 바꿀 수 있는 것은 바꾸고, 달리 방법이 없는 상황은 받아들이도록 한다. 언제나 몸에 미치는 영향을 생각하라.

사는 환자의 통증을 그대로 느낄 것이며 심리치료사는 환자의 영적 문제로 고통받을 것이다. 정신적으로나 영적으로 균형이 잡혀 건강한 사람은 안정된 아우라를 가지고 있어 낯선 에너지로부터 스스로를 보호할 수 있다. 심리학자들은 환경과 자신을 구별지을 수 있는 인간의 능력에 관해서도 말하고 있다.

여러 상황이 합쳐지면 아우라와 같은 자연스러운 보호막이 와해될 수 있다. 예를 들어 질병, 상사병, 사고, 가족의 죽음, 이혼, 갈등과 다툼 또는 재정적 손실 등이 그런 상황을 야기할 수 있다. 영적 보호가 결핍되는 가장 흔한 원인은 지나치게 많은 일과 분주함으로 인하여 유기체가 지속적으로 무리하는 경우다. 당신이 지금 그런 상황에 처해 있다면, 몸이 허약해지는 것과 에너지가 사라지는 듯한 느낌을 실제로 받게 될 것이다. 그렇게 되면 또 다른 사람들이 우리를 좌지우지하기 쉽다. 그래서 내가 나의 고유한 삶을 사는 것이 아니라 다른 사람들이 데려다놓은 곳에 그냥 존재하는 지경에까지 이를 수 있다. 어떠한 경우에도 그런 지경에 이르지 않도록 하라!

우리의 자연스러운 보호막을 올바로 보존하고 또다시 재생시키는 최선의 방법은 생물학적 게으름이다. 생물학적 게으름을 통해 우리의 몸은 다시 에너지를 얻고 지금까지와는 완전히 다른 매력을 발산하게 된다. 개인적인 아우라를 강화시켜 주는 일련의 연습이 있다. 이는 또 환상적인 게으름 연습이기도 하다. 몇 가지 예를 살펴보자.

 신체를 가꾸세요. 청결한 사람은 그렇지 못한 사람과는 다른 빛을 발산한답니다. 신체정화를 통해 아우라를 정화하고 강화하세요.

- 언제 어디서나 긴장을 풀 수 있도록 호흡법과 요가를 배운다.
- 긴장을 풀고 우리를 둘러싼 빛의 막이 보호해주는 것을 떠올린다.
- 천천히 걸으면서 바람에 의해 정화되고 있음을 떠올린다.
- 부정적이고 미움으로 가득 찬 생각에서 해방되어 긍정적인 삶의 시각을 발견한다.

에너지 균형 — 건강과 행복으로 나아가는 길

건강하고 행복한 삶의 비결은 에너지 균형에 있으므로 에너지 균형이 잡힌 삶을 살아야 한다. 생물학적 게으름은 생명 에너지를 아낄 수 있는 최선의 방법으로, 두 가지 효과가 있다.

- 신체적 차원의 에너지 절약은 건강과 활력을 찾도록 도와준다.
- 일상생활에서의 에너지 절약은 행복과 성취의 자유공간을 늘려준다.

에너지가 균형 잡힌 삶을 살면 건강과 생활의 만족도에서 부유한 부자가 된다. 삶의 에너지적 균형은 의식적으로 살 때만 생겨날 수 있다. 그러므로 일상생활, 아니 인생 전체를 살 때 유연하게 살되 급히 서두르지 말아야 한다. 다음은 어느 젊은 부인이 실제 체험한 이

집중적인 기도도 개인적 에너지를 늘리는 데 도움이 되며 영적 에너지를 깨울 수 있답니다.

야기다. 그녀는 생명 템포를 늦춤으로써 인생 전체를 변화시킬 수 있었다.

에너지 균형이 잡힌 새로운 삶

30대 초반의 페트라는 여류 변호사로 성공을 누렸다. 그녀는 큰 법률사무소에서 일했으며 고객으로부터 높은 신임을 얻었고 수입도 좋았다. 그대신 주당 70시간 이상을 일해야 했지만 페트라에겐 아무런 상관이 없었다. 비교적 호화로운 삶을 영위할 수 있었기 때문이다.

얼마 뒤 페트라는 더 이상 기분이 좋지 않았다. 위통과 불쾌감에 괴로웠다. 의사는 위궤양 진단을 내리고 약을 처방해주었으며 식사할 때 보다 많은 시간을 갖고 느긋하게 하라고 충고했다. 의사의 말은 정곡을 찌른 충고였다. 페트라는 대체로 아침식사는 서둘러 마시는 커피로 대신했고 점심시간에는 빨리 나오는 스낵을 먹었다. 그리고 저녁이면 너무 피곤해서 제대로 된 식사를 준비할 수 없어 패스트푸드를 전자레인지에 데워 먹을 수밖에 없었다.

그 후로 페트라는 차츰 의식적인 식생활을 하기 시작했다. 아침식사를 충분히 하고 점심 때는 채식 식당을 찾았으며 저녁에도 샐러드를 자주 해먹었다. 그 외에도 평생교육 센터에 등록해 자아 트레이닝 코스를 다녔다. 이러한 노력들은 곧 긍정적인 영향을 미쳤다. 페트라의 위는 회복되었고 젊은 여류 변호사는 다시 기분이 좋아졌다.

오랫동안 사귀던 남자친구와도 헤어진 그녀에게 새로운 인생이 시작되었다. 처음에는 남자친구를 사귀기가 어려웠다. 다른 여자친구들은 결혼을 하고 가정을 꾸렸지만 페트라의 인생은 여전히 일뿐이었다. 그러던 어느 날 페트라는 '삶에 있어서 여가의 법칙'이란 강의를 듣게 되었다. 요약하면 여가는 삶에 빈자리를 마련하는 사람에게만 찾아온다는 내용이었다. 순간, 페트라에게 모든 것이 분명해졌다. 지금까지 그녀에게는 직업이 삶의 너무도 큰 공간을 차지하고 있어 남편과 자녀를 위한 자리는 없었다. 오랜 숙고 끝에 페트라는 스트레스가 심한 직장을 그만두고 월급은 적지만 여가시간을 충분히 가질 수 있는 작은 회사로 옮겼다.

이제 페트라는 예전 같으면 절대로 시간을 낼 수 없었던 일들을 즐기고 있다. 그림 그리기를 배우고 규칙적으로 피부관리실에 가며 명상을 배우고 인라인 스케이팅이라는 새로운 취미를 발견했다. 지금 페트라는 새로운 인생을 즐기고 있다. 과거에 무엇이 부족했는지를 이제야 비로소 깨닫게 되었다. 활발한 생활 속에서 그녀는 현재의 남편인 베르너를 사귀게 되었고, 두 사람은 함께 가정을 꾸몄다. 생물학적 여가의 법칙이 페트라의 건강을 되찾아주고 충만된 삶을 살 수 있도록 도와준 것이다.

우리도 인생의 긍정적 전환점을 새로이 줄 수 있다. 무엇이 우리에게 중요한지 곰곰이 생각해보자. 게으름의 법칙으로 에너지 불균형

생명 템포가 빠른 사람은 명상적인 삶을 사는 사람보다 생명의 비축분을 더 빨리 소비하죠.

을 시정하고 다시 조화를 이루도록 하자. 삶의 모든 상황을 —심하게 병들지 않고 —무난하게 헤쳐나가는 이들은 대부분 인생에 의미를 줄 수 있는 사람, 스스로의 의지에 따라 다른 사람과의 거리를 조절할 수 있는 사람, 많은 양의 일을 해내지만 일의 부담을 휴식으로 조절할 줄 아는 사람, 종교적 느낌을 교감할 수 있는 사람들이다. 한마디로 전반적으로 균형 잡힌 일상생활을 하는 사람을 일컫는다.

100세 클럽—악몽인가, 낙원인가?

게으름의 원칙에 따른 삶은 한 가지 부작용이 있다. 즉 세월을 얻는 것이다. 실제로 생물학적 게으름은 100세 클럽에 들어갈 수 있는 티켓이기도 하다. 생물학적 게으름을 실천하는 사람들은 인간에게 가능한 생물학적 최고연령인 120세에 근접할 가능성이 가장 높다. 그것은 일단 즐거운 전망이다.

하지만 단순히 수명의 기간만을 생각해서는 안 된다. 중요한 것은 건강한 상태로 보낼 수 있는 기간이 얼마인가 하는 점이다. 계속 병을 앓는다면 긴 수명도 고통일 수 있다. 현재 추정에 따르면 65세의 남성은 기대수명이 15년 가량 남았지만 그 중에서 건강하게 살 수 있는 기간은 9년에 불과하다. 동년배의 여성은 기대수명이 19년, 건강

생물학적 게으름을 실천하는 삶은 건강과 기쁨을 증폭시켜 준답니다.

하게 살 수 있는 기간은 10년이다.

우리는 하루하루 일상을 꾸려나가는 방식을 통해 노년의 건강상태를 이루는 기초를 평생토록 쌓아간다. 바쁘게 살수록, 다시 말해 내적 신진대사의 불꽃이 밝게 타오를수록 신체 구조의 마모가 높아지므로 노년에 병들거나 수명이 짧아질 확률이 높다. 에너지를 낭비하는 사람은 일찍 죽는다. 따라서 몸과 마음을 늘 가꾸며 마모과정이 너무 빨리 진행되지 않도록 주의하라. 그러면 늙어서도 건강하고 재미있게 살 수 있을 것이다.

현대적인 분자생물학, 모든 것이 가능하다?

인간 게놈의 수수께끼가 풀렸다. 우리는 이제 인간이 약 3만 개의 유전자를 가지고 있음을 알게 되었다. 이와 관련하여 질병을 유전공학적 방식으로 치료할 수 있다는 희망도 싹텄다. 사람들은 노화유전자를 열성적으로 찾고 있으며 노화유전자의 활동을 차단하고자 애쓰고 있다.

INFO

생물학적 최고연령과 평균수명

평균수명이란 한 인구 그룹의 소속원이 평균적으로 얼마나 오래 사는지를 말해준다. 이는 섭생, 의료환경, 위생 등 외적 요인에 의해 크게 영향을 받는다. 하지만 생물학적 최고연령은 평균수명과 달리 외적 요인이 아니라 에너지와 상관이 있다. 생물학적 최고연령은 한 생물체가 최대한 얼마나 살 수 있는지를 말해준다.

이제 영원한 젊음을 누리는 장수의 비전은 도달 가능한 꿈이 된 것 같다. 하지만 정말 우리가 그 정도일까? 학자들은 게놈의 수수께끼를 풀긴 했지만 생명의 책은 (아직) 읽지 못하고 있다. 유전자 하나는 수많은 가능성의 잠재력을 뜻한다. 그 잠재력이 단백질로 번역되고 활성화되어 신진대사에 개입할 때야 비로소 현실이 생겨난다. 과학자들은 바로 이 과정을 이해해야 한다. 하지만 죽음을 없애는 것이 과연 가능할까?

미국의 노화연구 학자에 따르면 인간의 유전자원은 한 개인이 번식할 만큼, 다시 말해 개체의 유전자산을 후대에 물려줄 때까지 살수 있도록 신체에 고유한 수리 시스템을 작동시킨다. 그 뒤에는 수리시스템을 끄거나 더 이상 작동할 수 없게 만든다. 인간 유전자원의 견해에 따르면, 유기체가 잠재적인 불멸의 상태에 이르도록 모든 수단을 강구하는 노력은 무의미하며 거기에 필요한 에너지를 번식에 투자하는 것이 훨씬 유리하다고 한다. 그렇다면 노화와 죽음은 자연의 사고나 진화의 고장이 아니라 의도된 사건일 수도 있다.

이 점에서 인간을 기계와 비교해보게 된다. 지금보다 더 오랫동안 쓸 수 있는 기계를 생산해낼 만큼 기술은 많이 발달했다. 하지만 현실은 다른 모양새를 하고 있다. 수많은 제품이 일회용으로 생산된다. 새로 만드는 것이 더 간단하고 합리적이기 때문이다. 이제 어떤 사람

유전학 연구로 우리는 고령에 이를 때까지 영원한 젊음을 누릴 수 있을까요? 그것이 정말 인류에게 내려질 축복일까요?

도 낡은 자동차나 오래된 컴퓨터에 새로운 부품을 끼워넣고 마모된 부품을 수리하여 늘 최신 상태로 유지하지는 않을 것이다. 일정한 시간이 지나면 낡은 것은 ―아직 작동되기는 하지만 새로 구입하는 것이 더 경제적이어서― 그냥 버린다. 물론 새로운 것에 대한 소망도 여기에 어떤 영향을 미칠 것이다. 자연도 그렇게 생각하는 것이 분명하다. 자연은 인간을 지속적으로 수리하여 늘 최신 상태를 유지하도록 만들 생각이 없어 보인다. 특정한 수명을 살고 나면 그 유기체의 '사용시간'이 지나간 것으로 생각하고 새로운 유기체를 필요로 한다.

유전자는 죽지 않는다

인간의 유기체는 기계와 다르다. 폐기될 날짜가 정해진 일회용 부품들은 신체세포뿐이다. 세세손손 전달되는 유전정보는 말 그대로 불멸로서, 다음 세대가 세상에 태어나면 유전정보를 제외한 유기체는 불필요한 운송수단이 된다. 생명이 처음 시작된 이래 유기체는 이런 방식으로 계속 번식했고 생명을 이어나갔다.

우리 몸 안에는 까마득한 옛날, 이러한 전략이 합리적이라는 사실이 밝혀진 때부터 내려오는 '불멸의' 정보가 들어 있다. 우리는 이 정보를 자녀에게 전달한다. 노화와 죽음은 이러한 통찰에서 도출된 논리적이며 합리적인 결론이다. 이상적인 생활방식, 최적의 환경조건

우리의 유전자원은 우리를 늘 수리해줄 계획이 전혀 없답니다.
언젠가는 우리의 가동시간도 끝날 거예요.

과 의료기술의 개입은 평균수명을 늘릴 수 있지만 유전적으로 확정
되고 미리 입력된 인간의 최고연령은 연장시킬 수 없다. 그것은 어떤
생물체의 경우에도 마찬가지다. 최고연령을 변화시키기 위해서는 생
명의 책을 매우 잘 읽을 만한 능력을 갖추어야 할 것이다.

우리는 과연 이러한 전망과 통찰을 두려워해야 할까? 아니다, 오히
려 정반대다. 생물학의 근본법칙이라 할 수 있는 이러한 지식에는 생
을 모든 측면에서 수용하고 행복해하며 한순간 한순간을 의식적으로
즐기라는 호소가 담겨 있다. 그렇게 하기 위해서 우리 모두가 충분히
게으를 것을 소망한다.

오래 살려면
게으름을 피워라

지은이 · 잉에 호프만
옮긴이 · 이영희

초판 1쇄 인쇄 2003년 5월 23일
초판 1쇄 발행 2003년 5월 30일

펴낸이 · 한 순 이희섭
펴낸곳 · 나무생각
팀장 · 강혜란
편집 · 김은정
교정 · 김미정
디자인 · 최현진 김용미
마케팅 · 문제훈 김선영
출판등록 · 1998년 4월 14일 제13-529호

주소 · 서울특별시 마포구 서교동 328-13
전화 · (대)334-3339, (편)334-3308
팩스 · 334-3318
이메일 · tree3339@hanmail.net tree3339@dreamwiz.com
홈페이지 · www.namubook.co.kr

값은 뒤표지에 있습니다.
ISBN 89-88344-65-0 03850

잘못된 책은 바꿔 드립니다.

나무가 보내는 긴 침묵과 기도
그리고 지혜의 숲으로
당신을 초대합니다.

우편엽서

우편요금
수취인 후납부담
발송유효기간
2002.7.10~2004.7.9
서울마포우체국
제1215호

보내는 사람

주소

연락처

☐☐☐ - ☐☐☐

도서출판 나무생각

서울시 마포구 서교동 328-13 승안빌딩 3F
전화 334-3339, 334-3308 팩스 334-3318
E-Mail: namu3339@hitel.net

☐1 ☐2 ☐1 - ☐8 ☐3 ☐6